강력한 성신여대 인문계 논술

기출문제

저자 소개

저자는 경희대학교 대학원에서 글로벌경영학을 공부하고, 같은 대학의 대학원에서 교육경영최고위 과정도 수료했다. 대학에서는 경영학을 전공했으며, 연세대학교 교육대학원에서 교육경영최고위 과정도 수료했었다.

현재 대치투탑학원과 좋은성적학원을 운영 중이며, 대치쿰100과 위더스학원, 옹골찬학원에서 논술과 면접, 학생부관리를 지도하고 있다. 또한 수시와 정시, 고입 등의 입시컨설팅을 진행하며 입시현장에서 활약 중이다.

강력한 성신여대 인문계 논술 기출 문제

발   행 | 2024년 05월06일
저   자 | 김근수
펴낸이 | 김근현
펴낸곳 | 일으킨 바람
출판사등록 | 2018.11.12.(제2018-000186호)
주   소 | 경기도 고양시 일산서구 하이파크 3로 61 409동 1503호
전   화 | 031-713-7925
이메일 | illeukinbaram@gmail.com

ISBN | 979-11-93208-39-7

www.iluekinbaram.com

강력한 성신여대 인문계

논술 기출문제

김 근 수 지음

차례

I. 성신여대학교 논술 전형 분석

1. 논술 전형 분석

1) 전형 요소별 반영 비율

전형요소	논술	학교생활기록부 (교과 90%+ 출결10%)	총합
논술고사	90%	10%	100%

2) 학교생활기록부 반영

10%

(ㄱ) 반영교과 및 반영비율

● 계열 구분 없이 국어, 수학, 영어, 사회(한국사) 반영

● 학년별 가중치 없음, 교과별 가중치 없음

● 비교과 영역은 출결만 반영

대 상	인정범위	반영 교과
졸업예정자	1학년 1학기 ~ 3학년 1학기	국어, 영어, 수학, 사회

(ㄴ) 공통과목 및 일반선택과목

구분	등급	1등급	2등급	3등급	4등급	5등급	6등급	7등급	8등급	9등급
변환점수		100	99	98	96	95	92	90	70	50

(ㄷ) 진로선택과목

성취도	A	B	C
석차등급	1	25	4

(ㄹ) 석차등급 환산 평균

$$석차등급 환산 점수 = \frac{\sum(등급 점수 \times 이수단위)}{\sum(이수단위)}$$

(ㅁ) 교과성적 반영 점수

$$교과성적 = 석차등급 환산평균 \times 0.9(상수)$$

(ㅂ) 출석성적 반영방법 점수

등급	1등급	2등급	3등급	4등급	5등급	6등급	7등급	8등급	9등급
결석일수	0~1	2~4	5~7	8~9	11~13	14~16	17~19	20~22	23 이상
출석성적	10.0	9.9	9.8	9.7	9.6	9.5	9.4	9.2	9.0

● 미인정에 의한 결석, 지각, 조퇴, 결과만을 반영하며 지각·조퇴·결과 3회 시 결석 1일로 처리

3) 수능 최저학력 기준

국어, 수학, 영어, 탐구(사회/과학탐구 중 1과목) 중 *2개 영역* 등급의 *합 7* 이내

· (제2외국어/한문은 탐구 대체 불가)

4) 논술 전형 결과

(ㄱ) 2023학년도 논술 전형 결과

단과대학	모집단위	모집인원	지원자수	경쟁률	실질경쟁률	추가합격인원	논술고사 (70점 만점)		학생부 (30점 만점)		총점평균 (100점 만점)
							논술평균점수	논술평균등급	학생부평균점수	학생부평균등급	
인문과학대학	국어국문학과	5	158	31.60	13.80	2	65.33	2.45	29.12	3.56	94.45
	영어영문학과	5	154	30.80	15.80	2	66.3	2.15	28.88	4.00	95.17
	독일어문·문화학과	3	84	28.00	14.67	1	67.19	1.88	28.42	4.73	95.60
	프랑스어문·문화학과	3	84	28.00	11.33	0	64.64	2.67	28.67	4.51	93.30
	일본어문·문화학과	5	158	31.60	14.20	2	65.17	2.5	29.05	3.75	94.22
	중국어문·문화학과	5	136	27.20	12.00	1	65.81	2.3	28.60	4.72	94.42
	사학과	3	83	27.67	11.67	0	63.29	3	29.11	3.66	92.41
사회과학대학	정치외교학과	3	84	28.00	14.33	0	65.71	2.33	28.84	4.23	94.55
	심리학과	5	178	35.60	15.80	0	65.49	2.4	28.46	4.67	93.96
	지리학과	4	106	26.50	10.75	1	66.98	1.94	29.02	3.83	96.00
	경제학과	5	150	30.00	13.00	1	65.17	2.5	28.83	4.24	94.00
	미디어커뮤니케이션학과	5	179	35.80	15.40	0	65.66	2.35	29.06	3.62	94.72
	경영학부	7	262	37.43	15.43	4	65.75	2.32	28.89	3.98	94.64
	사회복지학과	5	156	31.20	12.40	3	65.98	2.25	28.64	4.13	94.61
법과대학	법학부	11	433	39.36	20.09	1	66.49	2.09	28.77	4.32	95.26
간호대학	간호학과 (인문)	5	321	64.20	31.40	1	66.62	2.05	28.57	4.61	95.19
뷰티생합산업국제대학	의류산업학과	5	158	31.60	18.00	2	65.17	2.5	28.96	3.86	94.13
	소비자생활문화산업학과	5	148	29.60	10.40	1	66.94	1.95	28.97	3.94	95.91
융합문화예술대학	문화예술경영학과	4	131	32.75	16.00	2	66.18	2.19	28.89	4.15	95.07

(ㄴ)　2022학년도 논술 전형 결과

단과 대학	모집단위	모집 인원	지원자수	경쟁률	실질 경쟁률	추가 합격 인원	논술고사 (70점 만점)		학생부 (30점 만점)		최종 등록자 총점평균 (100점 만점)
							논술 평균 점수	논술 평균 등급	학생부 평균 점수	학생부 평균 등급	
인문 과학 대학	국어국문학과	4	115	28.75	12.25	2	65.98	2.25	28.80	4.14	94.77
	염어영문학과	6	196	32.67	18.33	3	66.38	2.13	28.93	4.07	95.31
	독일어문 ·문화학과	3	83	27.67	9.33	0	65.98	2.25	28.77	4.84	94.75
	프랑스어문 ·문화학과	3	80	26.67	11.00	0	65.71	2.33	28.31	5.32	94.01
	일본어문 ·문화학과	5	153	30.60	11.20	2	66.62	2.05	28.97	4.14	95.59
	중국어문 ·문화학과	5	154	30.80	15.60	1	66.14	2.2	28.67	4.60	94.81
	사학과	3	73	24.33	12.00	0	66.78	2	28.63	4.49	95.41
사회 과학 대학	정치외교학과	4	120	30.00	14.50	1	66.38	2.13	28.98	4.13	95.36
	심리학과	5	155	31.00	12.60	3	66.46	2.1	28.98	3.89	95.44
	지리학과	4	109	27.25	13.00	0	68.19	1.56	28.73	4.57	96.92
	경제학과	6	200	33.33	16.17	1	68.26	1.54	28.99	3.88	97,25
	미디어커뮤니케 이션학과	5	202	40.40	21.00	0	66.94	1.95	28.60	4.65	95.54
	경영학부	10	424	42.40	22.00	3	66.38	2.13	28.63	4.62	95.01
	사회복지학과	5	146	29.20	11.60	3	64.37	2.75	29.03	3.88	93.40
법과 대학	법학부	10	387	38.70	20.20	2	64.93	2.58	28.85	4.01	93.78
간호 대학	간호학과 (인문)	6	378	63.00	33.67	1	66.44	2.11	29.16	3.78	95.60
뷰티 생활 산업 국제 대학	의류산업학과	5	142	28.40	18.00	0	66.78	2	28.88	4.39	95.66
	소비자생활 문화산업학과	4	120	30.00	12.75	0	68.19	1.56	28.38	4.88	96.56
융합 문화 예술 대학	문화예술 경영학과	4	145	36.25	17.75	1	65.17	25	28.59	4.53	93.76

(ㄷ) 2021학년도 논술 전형 결과

단과대학	모집단위	모집인원	지원자수	경쟁률	실질경쟁률	추가합격인원	논술고사		학생부		최종등록자총점평균
							논술평균점수	논술평균등급	학생부평균점수	학생부평균등급	
인문과학대학	국어국문학과	7	241	34.43	15.29	0	67.7	1.71	29.05	3.78	96.75
	영어영문학과	6	202	33.67	15.33	2	68.13	1.58	28.86	4.07	96.98
	독일어문·문화학과	4	125	31.25	11.25	0	67.39	1.81	28.67	4.72	96.06
	프랑스어문·문화학과	4	130	32.5	12	2	66.18	2.19	28.9	4.05	95.08
	일본어문·문화학과	6	218	36.33	15.17	1	67.32	1.83	28.85	4.23	96.17
	중국어문·문화학과	6	215	35.83	16.33	4	66.65	2.04	28.85	4.31	95.49
	사학과	4	125	31.25	13	0	66.78	2	28.51	4.55	95.29
사회과학대학	정치외교학과	4	129	32.25	11.75	1	68.39	1.5	28.75	4.42	97.15
	심리학과	5	180	36	17.4	0	65.98	2.25	28.86	4.2	94.83
	지리학과	5	171	34.2	16	1	67.27	1.85	28.9	4.11	96.16
	경제학과	7	254	36.29	14.57	1	65.86	2.29	29.05	3.87	94.91
	미디어커뮤니케이션학과	6	254	42.33	18.33	0	67.45	1.79	28.93	4.05	96.38
	경영학부(경영학)	5	184	36.8	14.2	2	67.26	1.85	29.14	3.65	96.4
	경영학부(글로벌비즈니스)	4	131	32.75	13.25	2	66.18	2.19	28.36	5.16	94.53
	사회복지학과	4	129	32.25	13.75	1	66.78	2	29.15	3.60	95.93
법과대학	법학부	14	568	40.57	17.43	6	66.16	2.19	28.79	4.31	94.95
간호대학	간호학과(인문)	5	340	68	32	0	67.75	1.7	28.9	4.13	96.65
뷰티생활산업국제대학	의류산업학과	5	145	29	15.4	1	66.3	2.15	28.62	4.55	94.92
	소비자생활문화산업학과	4	131	32.75	12.25	2	66.58	2.06	28.91	4.05	95.49
융합문화예술대학	문화예술경영학과	3	103	34.33	13	0	66.51	2.08	28.62	4.45	95.13

1) 실질경쟁률 = 논술 응시자 중 수능최저기준 충족자 / 모집 인원
2) 합격자 수, 논술평균점수 및 등급, 학생부평균 점수 및 등급은 최종등록자의 통계

2. 논술 분석

구분	인문계열	
출제 근거	고교 교육과정 내 출제	
출제 범위	국어 교과	국어, 독서, 문학
	사회(역사/도덕 포함)	한국사, 한국지리, 세계지리, 세계사, 동아시아사, 경제, 정치와 법, 사회·문화, 생활과 윤리, 윤리와 사상
논술유형	인문형	
문항 수	2문항 (각 문항당 800~1,000자)	
답안지 형식	문항별 글자수 제한, 원고지형 답안지	
고사 시간	100분	

1) 출제 구분 : 계열 구분

2) 출제 유형 :

4~5개의 지문 또는 자료를 제시하는 통합교과형 논술

3) 출제 및 평가내용 :

● 단순 암기나 전공지식이 아닌 지원자의 고등학교 교육과정에 대한 이해도를 평가
● 고등학교 교육과정 수준의 문제해결 능력을 바탕으로 제시자료를 활용하여 자신의 견해를 설득력 있게 표현하는 능력을 평가

3. 출제 문항 수

구분	인문계
문항수	2문항 (각 문항당 800~1,000자)

4. 시험 시간

· **100분**

5. 논술 유의사항

1) 논술고사 유의사항

가. 고사시간 : 100분

나. 고사장 발표 시 본인의 입실 시간과 장소를 반드시 확인 바랍니다.

다. 수험생은 신분증(주민등록증, 운전면허증, 기간만료 전 여권 등)을 반드시 지참해야 합니다.

라. 답안은 검은색 볼펜으로만 작성 가능하며(**연필 사용 불가**), **컴퓨터용 사인펜 등 필기구는 개별 준비**해야 합니다.

마. 모집단위(학과)별 수능 최저학력기준 및 논술고사 계열 구분에 대한 안내는 p.41

을 참고 바랍니다.

바. 기타 세부 유의사항은 고사장 발표 시 공지되는 「수험생 유의사항」 내용을 반드시 확인하시기 바랍니다

2) 답안 작성 시 유의 사항

1. 답안지는 지급된 흑색 볼펜으로 원고지 사용법에 따라 작성하여야 합니다. (수정액 및 수정테이프 사용 금지)

2. 수험번호와 생년월일을 숫자로 쓰고 컴퓨터용 사인펜으로 ● 표기하여야 합니다.

3. 답안의 작성 영역을 벗어나지 않도록 각별히 유의 바라며, 인적사항 및 답안과 관계없는 표기를 하는 경우 결격 처리 될 수 있습니다.

4. 제시된 작성 분량 미 준수 시 감점 처리됨을 유의 바랍니다.

II. 기출문제 분석

1. 출제 경향

학년도	교과목	질문 및 주제
2024학년도 수시 논술 (1교시)	생활과 윤리, 윤리와 사상 국어, 화법과 작문, 독서, 문학, 통합사회, 경제, 사회·문화, 정치와 법	트롤리 딜레마, 의무론, 결과론, 자동 시스템, 숙고 시스템, 넛지, 자유주의적 개입주의, 디폴트 규칙, 『멋진 신세계』, 독재, 자유의지
2024학년도 수시 논술 (2교시)	국어 화법과 작문, 경제, 독서, 언어와 매체, 통합사회, 동아시아사, 세계사, 한국지리, 세계지리, 사회·문화, 정치와 법, 도덕, 윤리와 사상, 생활과 윤리, 통합과학, 생명과학, 생명과학II	생성형 인공지능, 챗GPT, 다윈의 진화론, 변이의 다양성, 데이터 편향성, 환각, 대규모 언어모델
2024학년도 모의 논술	세계지리, 한국지리, 통합사회	인구변화, 저출산, 지방소멸, 인구감소, 도시재생, 젠트리피케이션
2023학년도 수시 논술 (1교시)	국어, 화법과 작문, 독서, 언어와 매체 생활과 윤리, 윤리와 사상 통합사회, 경제, 사회·문화	조세, 복지, 노인연금, 평생연금, 공정, 정치, 학자금 대출 탕감
2023학년도 수시 논술 (2교시)	국어, 화법과 작문, 독서, 언어와 매체 통합사회, 경제, 세계사, 세계지리, 사회·문화	세계화, 탈세계화, 블록 경제, 인플레이션, 반도체 동맹, 무역 갈등
2023학년도 모의 논술	경제, 통합 사회, 사회·문화, 문학, 언어와 매체	인플레이션(Inflation), 초인플레이션, 소비자 물가 지수(Consumer Price Index: CPI), 병목 경제(The bottleneck economy)
2022년도 수시 논술 (1교시)	생활과 윤리, 윤리와 사상 통합사회, 세계지리, 경제, 정치와 법, 사회·문화	코로나19, 경쟁, 협력, 국가 간 불평등, 탄소중립, 기후협약, 국제사회

학년도	교과목	질문 및 주제
2022학년도 수시 논술 (2교시)	국어, 화법과 작문, 독서, 언어와 매체, 문학 생활과 윤리, 윤리와 사상 통합사회, 경제, 정치와 법, 사회·문화	플랫폼 경제, 알고리즘, 인간의 편향성, 알고리즘의 편향성, 언어의 중의적 특성, 공유경제와 노동자, 노동법 100분
2022학년도 모의 논술	통합 사회, 사회문화, 윤리와 사상, 정치와 법, 경제	공정과 정의, 롤스의 정의론, 무지의 베일 (veil of ignorance), 비례 원리, 보편 원리, 여성할당제, 공무원시험 할당제
2021학년도 수시 논술 (1교시)	생활과 윤리, 윤리와 사상 통합사회, 경제, 세계사, 세계지리, 사회·문화	인류세, 이상 기후, 기후정의, 환경윤리, 과학기술과 윤리, 자연관, 생태학적 윤리, 책임윤리, 세대 간 정의, 미래세대에 대한 책임
2021학년도 수시 논술 (2교시)	국어, 화법과 작문, 독서, 생활과 윤리, 윤리와 사상 세계지리, 한국지리, 통합사회, 경제, 정치와 법, 사회·문화	그린 뉴딜, 기후변화, 신재생에너지, 경제, 탈원전 정책, 파리기후변화협약, 현실주의, 이상주의, 국제 관계, 자국 우선주의, 공공의 선
2021학년도 모의 논술	통합사회, 생활과 윤리, 윤리와 사상, 정치와 법, 경제	사생활 보호, 사생활 침해, 의무주의, 결과주의,
2020학년도 수시 논술	국어 II, 화법과 작문, 독서와 문법, 고전 생활과 윤리, 윤리와 사상 사회·문화, 법과 정치, 세계지리, 세계사	대중매체, 뉴미디어, 정보화시대의 윤리, 미디어 리터러시, 공동체의 윤리, 개인의 자율성, 자유주의와 공동체주의, 공공선, 표현의 자유

2. 출제 의도

학년도	출제의도
2024학년도 수시 논술 (1교시)	○ 문제의 주제인 트롤리 딜레마, 의무론, 결과론, 이성과 감정, 넛지, 자유주의, 개입주의, 『멋진 신세계』 등에 대해 종합적으로 사고할 수 있는 문제로 구성했다. ○ 다양한 종류의 글에서 발췌한 제시문을 읽고, 이를 주어진 시간 내에 해석하고 분석할 수 있는지, 개념을 구체적인 사례에 합당하게 적용할 수 있는지를 측정하여 수험생의 독해력, 비판적 사고력, 창의적 사고력, 논리적 표현력을 평가하고자 하였다. 이를 위해 제시문 내용을 비교, 분석, 적용, 평가함을 넘어 종합적인 사고를 통해 자신의 의견을 서술하여 완결된 답안을 작성하도록 문제를 출제했다.
2024학년도 수시 논술 (2교시)	○ 문제의 주제인 과학 발달, 4차 산업혁명 이후 AI 등의 신기술 개발과 확대, 인간 사회의 진화와 다양성, 생태계의 건강한 보전 등에 대해 국제 사회와 윤리적 진화 등을 종합적으로 사고할 수 있는 문제로 구성했다. ○ 다양한 종류의 글에서 발췌한 제시문을 읽고, 이를 주어진 시간 내에 해석하고 분석할 수 있는지, 개념을 구체적인 사례에 합당하게 적용할 수 있는지를 측정하여 수험생의 독해력, 비판적 사고력, 창의적 사고력, 논리적 표현력을 평가하고자 하였다. 이를 위해 제시문 내용을 비교, 분석, 적용, 평가함을 넘어 종합적인 사고를 통해 자신의 의견을 서술하여 완결된 답안을 작성하도록 문제를 출제했다.
2024학년도 모의 논술	○ 인문계열 모의 논술고사 제시문은 한국 사회에서 나타나는 현상에 대한 시대적 패러다임의 이해와 사회과 교과에서 학습한 국토 경제 개발, 인구의 증가, 분배 등의 문제를 다루고 있다. 여러 교과에서 학습한 내용을 오늘날의 사회 현상과 연계하여 한국이 직면하고 있는 사회적 변화에 대해 논리적으로 접근할 수 있어야 한다. ○ 인구의 성별, 연령구조별 구조를 통해 국토개발의 유형과 지역적 특성을 분석할 수 있다. 국토 개발 계획과 인프라의 분배 등을 위해 인구자료는 가장 기초 자료로 활용된다. 한국뿐만 아니라 전 세계적으로 대두되고 있는 고령화 사회의 문제를 인구구조를 통해 이해하고, 이러한 현상과 밀접한 연관이 있는 저출산, 경제적 불안 구조 등의 상관성을 논리적으로 접근할 수 있다. 인구의 변화와 지역 간 격차 등에 대한 한국의 사회 현상을 이해하고, 기반 시설의 약화로 인구가 감소되고 있는 비도시 지역이 지방소멸이라는 위협적 심각성이 대두되는 한국의 불균형적 국토 상황의 문제점을 지문을 통해 논리적으로 해석하고 있는지 평가한다. ○ 재난 등 지역 환경의 악화와 쇠락 상황을 회복시키기 위한 방편으

학년도	출제의도
	로 고향기부금 제도를 이미 실시한 일본을 사례로, 한국도 '고향세' 제도를 마련하여 지방소멸의 위기적 상황에 대응하려 하는데, 한국적 상황에서 '고향세'는 적합한 의미를 지니고 있는지 파악해야 한다. ○ 전세계적인 현상인 젠트리피케이션 발생에 따른 문제와 그에 대응하는 파리와 독일의 사례에 대한 제시문의 내용을 파악하여 젠트리피케이션의 개념과 의미를 서술하고, 그것의 긍정적 효과와 부정적 효과에 대해 논리적으로 자신의 생각을 주장하는지에 대해 평가한다.
2023학년도 수시 논술 (1교시)	○ 문제 1은 균형 재정을 이룬다는 가정하에서 복지 정책을 설정할 때 조세 정책도 함께 고려되어야 한다는 점을 분석할 수 있는지를 파악하고자 출제하였다. 지문에 제시된 정보에 대한 정확한 해석을 바탕으로 노인연금과 평생연금의 운용에서 발생하는 문제점을 제시문에서 비판적으로 평가한 뒤, 제시문〈가〉와 제시문 〈나〉의 내용을 종합하여 노인연금의 지급과 관련한 문제점을 논리적으로 서술하도록 구성하였다. 이를 통해 논리적 분석, 비판적 평가, 창의적 응용 능력을 포괄하는 종합적 사고 역량을 평가하고자 하였다. ○ 문제 2는 공정과 정치에 대한 공자와 정약용의 관점을 담은 제시문을 소개하고, 이러한 관점을 미국 바이든 행정부의 학자금 대출 탕감 정책에 적용하여 정책의 찬반 의견을 서술하고 해결방안을 모색하도록 하였다. 이를 통해 고전에 나타난 공정에 대한 대조적인 관점을 이해하고 이를 세계적인 문제로 떠오르고 있는 학자금 대출 관련 시사 이슈에 적용하여 비판적 분석력과 해결 방안을 제시하는 창의적 사고력을 평가하고자 하였다.
2023학년도 수시 논술 (2교시)	○ 논술의 문제의 주제인 세계화, 자유무역과 보호무역, 국가 간 갈등, 인플레이션 등에 대해 종합적으로 사고할 수 있는 문제로 구성했다. ○ 다양한 종류의 글에서 발췌한 제시문을 읽고, 이를 주어진 시간 내에 해석하고 분석할 수 있는지, 개념을 구체적인 사례에 합당하게 적용할 수 있는지를 측정하여 수험생의 독해력, 비판적 사고력, 창의적 사고력, 논리적 표현력을 평가하고자 하였다. 이를 위해 제시문 내용을 비교, 분석, 적용, 평가함을 넘어 종합적인 사고를 통해 자신의 의견을 서술하여 완결된 답안을 작성하도록 문제를 출제했다.
2023학년도 모의 논술	○최근 들어 자주 듣게 되는 경제 상황을 토대로 사람들이 우려하고 있는 인플레이션의 배경을 수요와 공급 측면에서 분석하고, 응시자의 분석 결과를 논리적으로 서술하도록 구성하였다. 인플레이션은 물가 수준이 지속해서 상승하는 현상을 말한다. 이를 두고 돈의 가치가 떨어졌다고도 하고, 화폐의 구매력이 낮아졌다고도 한다. 이런 상황이

학년도	출제의도
	경제 전반에 걸쳐 일정 기간 동안 지속될 때를 인플레이션이라고 한다. 물가의 변화를 파악하기 위해 우리는 물가 지수를 활용한다. 적정 수준의 인플레이션은 가계와 기업의 경제 활동이 원활하게 이루어지고 있음을 보여주는 증거가 된다. 하지만 지나치게 높은 수준의 인플레이션은 경제를 불안정하게 만들고 경제 성장에 큰 해를 미치게 된다. 그렇기 때문에 인플레이션은 모든 경제 주체가 관심을 가질 수밖에 없는 경제 현상이다. ○ 경제 상황 분석을 위해 다양한 형식의 매체 자료에 접근하여 정보를 분석하고 평가하는 매체 문해력을 평가할 수 있도록 제시문을 배치하고 문항을 제시함으로써 논의의 폭과 깊이를 갖춘 종합적 문제 해결 역량을 점검하는 데 역점을 두었다.
2022학년도 수시 논술 (1교시)	○ 문제 1은 전 지구적 위기인 코로나19 상황 해결을 위해 각국의 노력 하에 경쟁해 온 역할을 제시문에서 파악하고, 비판적으로 평가한 뒤, 이를 종합하여 해결방안에 대한 응시자의 견해를 논리적으로 서술하도록 구성하였다. 이를 통해 논리적 분석, 비판적 평가, 창의적 응용 능력을 포괄하는 종합적 사고 역량을 평가하고자 하였다. ○ 문제 2는 인류 역사 속 발전의 원동력이 되어온 경쟁과 협력의 두 가지 측면을 지지하는 상반된 관점을 담은 제시문을 각각 소개하고, 이러한 관점이 탄소중립을 위한 기후협약 이행에 어떠한 영향을 미칠 수 있는지 분석하고, 해결 방안에 대한 응시자의 견해를 종합적으로 서술하도록 구성하였다. 문제 2는 전 지구적 위기를 해결하는 방안으로 경쟁과 협력의 두 가지 측면을 동시에 고려하도록 함으로써 논의의 폭과 깊이를 갖춘 종합적 문제 해결 역량을 점검하는 데 역점을 두었다.
2022학년도 수시 논술 (2교시)	○ 논술 문제의 주제는 언어의 특성, 플랫폼 경제의 발달과 규제, 인공지능과 인간의 편향성, 공유경제, 근로기준법, 광고 매체의 언어 사용 등에 대해 종합적으로 사고할 수 있는 문제로 구성했다. ○ 교과서의 지문을 비롯한 다양한 종류의 글에서 발췌한 제시문을 읽고, 이를 주어진 시간 내에 비교·분석할 수 있는지, 개념을 구체적인 사례에 합당하게 적용할 수 있는지를 측정하여 수험생의 독해력, 비판적 분석력과 창의적 사고력, 논리적 표현력을 평가하고자 하였다. 이를 위해 제시문 내용을 비교, 분석, 적용, 평가함을 넘어 종합적인 사고를 통해 자신의 의견을 서술하여 완결된 답안을 작성하도록 문제를 출제했다.
2022학년도 모의 논술	○ '공정과 정의'라는 소재를 중심으로 두 가지 측면에서 접근하여 문제를 분석하고, 응시자의 견해를 논리적으로 서술하도록 구성하였다.

학년도	출제의도
	정의는 사회적으로 규정된 올바른 행위를 일컫는다. 여러 종류의 정의 중 무엇보다 부나 권력 등의 사회적 자원을 구성원들에게 어떻게 나누어 주어야 하는가 하는 분배적 정의와 관련하여 공정이 최근 몇 년 동안 우리나라의 사회적 담론으로 자리하고 있다. 우리는 동등하지 몫을 분배받거나 동등한 몫을 분배받을 때 어떤 기준에 의해서 분배를 받는 지에 따라 공정하고 생각할 수도 있고 그렇지 않다고 생각할 수도 있다. 각자에게 어떻게 몫을 분배하여야 정당한 몫을 분배한 것이라고 할 수 있을까? 사회적 구성원들이 불만을 갖게 되고 사회적 갈등과 대립이 발생할 수 있는 경우는 사회적 자원이 일부 집단에게 편중되어 사회 계층 양극화나 사회적 약자에 대한 차별 등의 문제가 발생할 때이다. 그러한 사회적 갈등과 대립은 또한 공정하지 않은 분배가 이루어지는 경우에 의해서도 야기될 수 있다. 따라서 공정과 정의는 개인의 자유와 권리를 보호하고 공동체를 유지하는데 반드시 필요한 덕목이라고 할 수 있다. 우리는 일상생활에서도 공정한 판단을 해야하는 경우에 처하게 된다. 어떤 상황에서 어떤 선택을 할 것인지를 생각해 보고 질문에 논리적으로 답하는 문제들을 준비하였다.
2021학년도 수시 논술 (1교시)	○ '인류세'라는 새로운 지질 시대를 명명할 만큼 지구 환경과 기후 등이 급변하는 상황을 소재로 삼아 두 가지 측면에서 접근하여 문제를 분석하고, 응시자의 견해를 논리적으로 서술하도록 구성하였다. 첫 번째 문제는 인류세를 정의하고 기상 이변에 대처하는 상반된 관점을 제시문에서 파악하여 이를 비판적으로 평가하고 자신의 견해를 피력하도록 함으로써 논리적 분석력과 종합적 사고력을 측정하고자 하였다. ○ 두 번째 문제는 현재의 행위가 먼 미래세대의 존속과 행복에까지 영향을 미치는 인류세의 상황에서 현세대가 아직 태어나지 않은 미래세대에 책임 의식을 가져하는지를 판단해보도록 하였다. 상반된 두 입장을 지지하는 세 근거를 제시문에 소개하고 각 근거를 비판적으로 검토해 보도록 함으로써 비판적 사고에 기반한 문제 해결 역량을 점검하고자 하였다. ○ [문제1]과 [문제2]가 서로 관련되어 있기는 하지만 동일한 사례에 대해 접근하는 방식이 다른 만큼 각 문제가 요구하는 방향을 정확하게 파악하여 그에 맞게 각각의 논지를 전개하는 능력이 요구된다.
2021학년도 수시 논술 (2교시)	○ 논술 주제인 '그린 뉴딜', '기후변화', '신재생에너지', '경제', '탈원전 정책', '파리기후변화협약', '현실주의', '이상주의', '국제 관계', '자국 우선주의', '공공의 선' 등을 종합적으로 사고할 수 있는 문제로 구성했다.

학년도	출제의도
	○ 교과서의 지문을 비롯한 다양한 종류의 글에서 발췌한 제시문을 읽고, 이를 주어진 시간 내에 비교·분석할 수 있는지, 개념을 사례에 다양하게 적용할 수 있는지를 측정하여 수험생의 독해력, 비판적 분석력과 창의적 사고력, 논리적 표현력을 평가하고자 하였다. 이를 위해 제시문 내용의 비교, 분석, 적용, 평가 등을 별개로 작성하는 문항이 아니라 종합적으로 사고하여 자신의 의견을 서술하는 완결된 답안을 작성하도록 문제를 출제했다.
2021학년도 모의 논술	'코로나19 확산 방지 정책과 사생활 보호'라는 소재를 중심으로 두 가지 측면에서 접근하여 문제를 분석하고, 응시자의 견해를 논리적으로 서술하도록 구성하였다. 첫 번째 문제는 코로나19 확산을 조기에 차단 하기 위해 한국 정부가 정보통신기술을 활용하여 검사, 추적, 억제의 방법을 적극 시행하는 과정에서 제기되는 사생활 침해의 문제를 평가하되, 도덕적 판단의 대표적인 두 원리인 의무주의와 결과주의에 입각하여 판단해 보도록 하였다. 두 번째 문제는 사생활 보호의 원칙에 더 깊이 집중적으로 파고들어, 한편으로는 세계적으로 공인된 제시문 〈다〉의 OECD 원칙에 비추어 한국의 사례를 평가해보고, 또 한편으로는 한국의 실제 사례를 감안하여 그 원칙을 보완할 사항은 없는지를 찾아보도록 함으로써 원리적 사고에 기초한 문제 해결 역량을 점검하고자 하였다. [문제1]과 [문제2]가 서로 관련되어 있기는 하지만 동일한 사례에 대해 접근하는 방식이 다른 만큼 각 문제가 요구하는 방향을 정확하게 파악하여 그에 맞게 각각의 논지를 전개하는 능력이 요구된다.
2020학년도 수시 논술	○ 논술의 주제는 '대중매체와 뉴미디어', '정보화 시대', '미디어 리터러시', '자유주의와 공동체주의', '시민 불복종' 등을 종합적으로 사고할 수 있는 문제로 구성했다. ○ 교과서의 지문을 비롯한 다양한 종류의 글에서 발췌한 제시문을 읽고, 이를 주어진 시간 내에 비교·분석할 수 있는지, 개념을 사례에 다양하게 적용할 수 있는지를 측정하여 수험생의 독해력, 비판적 분석력과 창의적 사고력, 논리적 표현력을 평가하고자 하였다. 이를 위해 제시문 내용의 비교, 분석, 적용, 평가 등을 별개로 작성하는 문항이 아니라 종합적으로 사고하여 자신의 의견을 서술하는 완결된 답안을 작성하도록 문제를 출제했다.

III. 논술이란?

1. 논술이란?

1) 논술이란?

어떤 문제에 대해 자기 나름의 주장이나 견해를 내세운 다음, 여러 가지 근거를 제시하여 그 주장이나 견해가 옳음을 증명하는 글쓰기 활동을 말한다. 따라서 논술의 가장 기본적인 요소는 주장과 근거이다. 다시 말해 어떤 주제에 관해서 자신의 견해를 밝히고 자기 의견을 내세우는 글이 바로 논술이다. 때문에 논술은 특별히 논리적이어야 한다는 요구를 받게 된다. 왜냐하면 여러 가지 의견이 있을 수 있는 문제에 대해 자신의 의견을 세워 다른 사람을 설득하려면, 그 주장이 충분한 근거 위에서 논리적으로 개진될 때만 가능하기 때문이다.

2) 대한민국 논술고사는?

한국에서의 대학 입시 논술고사는 실제 교과 과정과 교과서가 기본이 되어 응용된 사고와 풀이 능력과 지식을 바탕으로 한다. 논술고사는 일반적을 비판적으로 글을 읽는 능력과 창의적으로 문제를 설정하고 해결하는 능력 그리고 논리적으로 서술하는 능력을 종합적으로 평가하는 시험이다. 비판적으로 글을 읽는다는 것은 능동적으로 자신의 관점에서 글을 읽는 것을 말하며, 창의적으로 문제를 설정하고 해결하는 능력이란 심층적이고 다각적으로 논제에 접근함으로써 독창적인 사고와 풀이를 이끌어낼 수 있는 능력을 말한다. 그리고 논리적 서술 능력은 글 구성 능력, 근거 설정 능력, 표현 능력 등을 포괄한다.

3) 인문계 논술? 그리고 그 변화

모든 글은 일반적으로 3가지 종류로 나뉘어진다. 시, 소설 등 문학 작품과 같은 글쓰기인 창작적 글쓰기(creative writing)와 23설명문이나 해설문의 글쓰기는 해명적 글쓰기(expository writing), 그리고 논설문의 글쓰기인 비판적 글쓰기(critical writing)가 있다. 이 글쓰기 중 대한민국의 대학입시에서 시행되고 있는 인문계 논술은 창작적 글쓰기는 포함되지 않는다. 새로운 문학 작품을 쓰는게 아니라 제시문을 읽고 내용을 구체화시켜 잘 설명하는 설명문의 형태가 있고, 주어진 문제에 대해 생각하고 깊이있는 주장을 피력하는 비판적 글쓰기도 있다.

2. 논술의 기본 용어

1) 논제 : 논술의 문제를 의미한다.

반드시 해결하고 접근하여야 할 논술 시험의 대상이다.

    (ㄱ)   중심 논제 : 채점할 때 가장 배점이 높으며, 핵심적으로 해결해야 할 논술의 문제

    (ㄴ)   세부 논제 : 큰 논제 속에 포함된 작은 문제, 각 단계별 채점의 기준이 되며 세부 채점 항목으로 필수 해결 항목이다.

2) 논거 : 논술에서 설명하고 주장하는 논리적인 근거 혹은 이유

3) 주장 : 수험생이 생각하고 채점자에게 알리고 싶은 생각
4) 제시문 : 보기 지문을 말한다.
  (ㄱ)   출제자가 논제 해결을 위해 보여주는 다양한 글
  (ㄴ)   각종 그래프, 도표, 그림 등
       자료가 정해져 있지는 않다. 하지만 고등학교 교과서를 가장 많이 인용하고, 고등학교 교과 과정으로 분석하고 판단할 수 있는 내용을 제시한다.
5) 개요 : 논제에 맞게 더 구체적으로는 세부 논제에 맞게 글의 진행 방향을 간략하게 정리하는 과정이다.

3. 논술의 명령어

논술고사 후 대학의 발표 자료를 보면 논술은 출제자의 의도에 부합하게 글을 써야 한다고 강조한다. 그런데 출제자의 의도를 파악하는 것은 자칫 상당히 모호하고 주관적인 것으로 판단하기 쉽다.

 하지만 인문계 논술에서는 명령어가 한정되어 있다. 그 명령어들을 잘 익히고 의미를 파악한다면 훨씬 논술의 이해가 높아질 것이다. 또한 대학의 채점 기준에는 명령어의 요구 조건을 충족하는지를 평가한다. 그러므로 인문계 논술의 명령어는 수험생에게는 아주 기초적이지만 필수적이며 절대 잊지 말아야 할 중요한 핵심이다.

1) ~ 에 대해 논술하시오.

  ; 주장을 밝히고 근거를 제시한다.

2) ~ 에 대해 설명하시오.

  : 사실, 주장 등을 쉽게 풀어서 밝힌다.

> ● ~ 제시문 간의 관련성을 설명하시오.
> ● ~ 제시문의 논리적 타당성과 문제점을 설명하시오.
> ● ~ 제시문을 참고하여 주어진 자료의 특징을 설명하시오.
> ● ~ 제시문의 관점에서 왜 그런 현상이 생기는지 그 이유를 설명하시오.

3) ~ 의 비교하시오. 혹은 대조하시오.

  : 공통점과 차이점을 중심으로 설명한다.

> ● ~ 공통점과 차이점을 설명하시오.

4) ~ 을 분석하시오.

  : 주제를 구성요소로 나누고 각 부분의 의미와 상호관계를 밝힌다.

5) ~ 제시문과 주어진 자료를 참고하여 현상을 예측해 보시오.

  : 주어진 자료를 해석하고 자료로부터 얻을 수 있는 시간에 따른 변화나 자료의 발생 이유를 살핀다.

6) ~ 제시문의 문제점을 지적하고 그 문제점을 해결할 방법을 제시하시오.

  : 보통은 수학이나 과학의 역사에서 발생했던 여러 오류나 실험과정에서 나타난 문

제점을 가지고 있다. 또한 이론이나 실험, 학생의 실험보고서 등과 같이 확실한 오류가 있는 제시문을 주기도 한다. 분명히 문제점을 파악하여 답안에 서술하고 문제점이나 해결할 수 있는 방법 등을 명확히 하여야 한다.

> ● ~ 제시문의 관점에서 왜 그런 현상이 생기는지 그 원리를 설명하고 그런 현상을 예방할 수 있는 방안을 제시하시오.
> ● ~ 문제점을 지적하고 합리적 대안을 제안해 보시오.
> ● ~ 주어진 관점을 검증할 수 있는 방법을 논하시오.
> ● ~ 주어진 문제점을 해결할 수 있는 실험을 설계해 보시오.

7) 제시문의 관점에서 주장을 비판하시오.

: 어떤 주장의 타당성이나 가치 등을 평가한다.

4. 인문계 논술 글쓰기 유의사항

① 논제의 해결이 핵심이다. 출제자가 원하는 답을 써야 한다.

② 논제에 부합하는 글을 일관성 있게 써야 한다.

③ 한편의 글을 완성하여야 한다. 나열하거나 사례를 보여주는 것은 의미가 없다.

④ 제시문을 활용, 인용하는 것과 제시문을 그대로 옮겨 쓰는 것은 다르다. 적절하게 제시문의 내용을 사용하여 논제를 해결하여야 한다. 절대 제시문의 문장을 그대로 쓰면 안 된다. 금기사항이고 감점요인이다.

⑤ 부적절한 문장 즉, 비문을 만들지 말아야 한다. 주어와 서술어가 적절하게 있어 문장의 의미를 명확히 전달하여야 한다. 주어를 생략하거나 지시어를 과도하게 사용하면 문장의 의미가 모호해 진다.

⑥ 문장은 짧고 간결하게 써야 한다. 자신의 의견을 명확히 간결하고 효과적으로 밝혀야 한다.

5. 논술 확인 사항

1. 답안지는 지급된 흑색 볼펜으로 원고지 사용법에 따라 작성하여야 합니다.
(수정액 및 수정테이프 사용 금지)

2. 수험번호와 생년월일을 숫자로 쓰고 컴퓨터용 사인펜으로 ● 표기하여야 합니다.

3. 답안의 작성 영역을 벗어나지 않도록 각별히 유의 바라며, 인적사항 및 답안과
. 관계없는 표기를 하는 경우 결격 처리 될 수 있습니다.

4. 제시된 작성 분량 미 준수 시 감점 처리됨을 유의 바랍니다.

IV. 인문계 논술 실전

1. 각 대학별 논술 유의사항을 파악하라!

많은 대학에서 글자수 제한을 확인하여야 한다. 그래서 원고지 형이 많지만, 문항별 칸을 만들거나 밑줄 답안 형식도 있다. 논술 시험 시간은 각 대학별로 다양하다. 60분 즉, 한 시간을 시작으로 많게는 2시간까지 (120분)까지 다양하게 있다. 대학별로 준비해야 하는 중요한 이유이다. 답안을 작성하는 필기구도 다양하다. 연필(샤프펜)의 사용이 꾸준히 증가하지만 아직까지 검정색 볼펜이나 청색 볼펜으로 사용하는 학교도 많다. 주의할 것은 수정법이다. 수정은 학교에 따라 수정액, 수정테이프의 사용을 제한하는 경우도 있고 틀리면 두줄을 긋고 써야 하는 곳도 있다. 그러므로 각 대학별 특징을 파악하고, 미리 답안 작성 연습은 물론이고 작성할 때도 대학별로 금지하는 내용을 숙지하고 시험장에 가야 한다.

각 대학별 유의사항 사례

사례 1)

가. 답안은 한글로 작성하되, 글자수 제한은 없다.

나. 제목은 쓰지 말고 특별한 표시를 하지 말아야 한다.

다. 제시문 속의 문장을 그대로 쓰지 말아야 한다.

라. 반드시 본 대학교에서 지급한 필기구를 사용하여야 한다.

마. 수정할 부분이 있는 경우 수정도구를 사용하지 말고 원고지 교정법에 의하여 교정하여야 한다.

바. 본 대학교에서 지급한 필기구를 사용하지 않거나, 수정도구를 사용한 경우, 답안지에 특별한 표시를 한 경우, 또는 원고지의 일정분량 이상을 작성하지 않은 경우에는 감점 또는 0점 처리한다.

사례 2)

Ⅰ. 필요한 경우 한 개 또는 여러 개의 제시문을 선택하여 논의를 전개하고, 사용한 제시문은 꼭 참고문헌 형태로 표시하시오.

　　　예) …[제시문 1-4].

　　　예) …되며[제시문 2-4], …의 경우는 ~을 보여준다[제시문 2-1].

Ⅱ. [문제 1]부터 [문제 4]까지 문제 번호를 쓰고 순서대로 답하시오.

Ⅲ. 연필을 사용하지 말고, 흑색이나 청색 필기구를 사용하시오.

Ⅳ. 인적사항과 관련된 표현을 일절 쓰지 마시오.

Ⅴ. 문제당 배점은 동일함.

사례 3)

◇ 각 문제의 답안은 배부된 OMR 답안지에 표시된 문제지 번호에 맞춰 작성하시오.

◇ 각 문제마다 정해진 글자수(분량)는 띄어쓰기를 포함한 것이며, 정해진 분량에 미달하

거나 초과하면 감점 요인이 됩니다.
◇ 답안지의 수험번호는 반드시 컴퓨터용 수성 사인펜으로 표기하시오.
◇ 답안은 검정색 필기구로 작성하시오. (연필 사용 가능)
◇ 답안 수정시 원고지 교정법을 활용하시오. (수정 테이프 또는 연필지우개 사용 가능)
◇ 답안 내용 및 답안지 여백에는 성명, 수험번호 등 개인 신상과 관련된 어떤 내용, 불필요한 기표하면 감점 처리됩니다.

사례 4)
◆ 답안 작성 시 유의사항 ◆
□ 논술고사 시간은 90분이며, 답안의 자수 제한은 없습니다.
□ 1번 문항의 답은 답안지 1면에 작성해야 하고, 2번 문항의 답은 답안지 2면에 작성해야 합니다. 1, 2번을 바꾸어 작성하는 경우 모두 '0점 처리'됩니다.
□ 연습지는 별도로 제공하지 않습니다. 필요한 경우 문제지의 여백을 이용하시기 바랍니다.
□ 답안은 검정색 또는 파란색 펜으로만 작성하며 연필, 샤프는 사용할 수 없습니다.
□ 답안 수정은 수정할 부분에 두 줄로 긋거나 수정테이프(수정액은 사용 불가)를 사용해서 수정합니다.
□ 답안지에는 답 이외에 아무 표시도 해서는 안 됩니다.
□ 답안지 교체는 고사 시작 후 70분까지 가능하며, 그 이후는 교체가 불가합니다.

2. 제시문에 먼저 눈을 두지 말고 문제를 파악하라!!!

대학별 고사인 논술의 어려운 점은 시간의 제한이 있는 글쓰기 시험이라는 것이다. 자유롭게 잘 쓸 수 있는 내용일지라도 시간의 제한이 있으면 얘기가 달라진다. 특히 지금과 같이 각 대학별로 다양하게 등장하는 시험에 익숙하지 않은 수험생에게는 더 큰 부담으로 작용을 한다.

대학에서는 다양하게 제시문과 문제를 분포시킨다. 문제를 등장시키고 제시문이 등장하는 경우, 그림과 도표, 그래프 등과 같이 자료를 제시하고 제시문과 문제를 함께 등장시키는 경우, 제시문을 많이 등장시키고 마지막에 문제를 제시하는 경우 등... 이렇듯 다양한 문제에 시간의 적절한 활용은 대학별 고사의 실전에서는 당락을 결정하는 중요 요소이다.

이러한 실전적 논술에서 핵심은 바로 목적을 가지고 제시문의 읽기가 선행되어야 한다. 글 읽기의 핵심은 문제를 통해 논제를 구체적으로 파악하고 그 논제에 부합하게 제시문을 분석하는 것이다.

① 문제를 먼저 확인하라!! - 제시문을 읽고 문제를 보면 다시 긴 제시문을 또 읽어 시간을 낭비한다.
② 세부 논제 확인하라!! - 한 문제라도 그 문제 속에 다루는 논제는 여러 개가 될 수 있

다. 그 질문 내용을 파악하라. 그리고 요구한 논제에 맞게 글을 구성한다.
 ③ 전제적 요건 파악하라!! – 각 문제의 전제적 요건 및 글로 표현된 부연 설명 등이 중요한 키워드가 될 수 있다.

V. 성신여대학교 기출

1. 2024학년도 성신여대 수시 논술 (1교시)

【문제 1】

제시문 <가>의 두 가지 딜레마 상황에 대한 인간의 도덕 판단을 제시문 <나>, <다>를 토대로 분석하고, ㉠의 내용을 제시문 <다>를 활용하여 서술하시오. (900±100자)

【문제 2】

[그림 2]의 결과를 ㉡을 활용하여 분석하고, 제시문<라>를 토대로 제시문 <마>의 제목 『멋진 신세계』의 역설적 의미를 논하시오. (900±100자)

<가>

[그림 1]은 트롤리 딜레마와 육교 딜레마 상황을 나타낸 것이다. 실험에서 참가자들은 트롤리 딜레마와 육교 딜레마 상황에 대해 아래와 같은 질문을 받았다.

[그림 1] 트롤리 딜레마와 육교 딜레마

트롤리 딜레마 실험 : 고장 난 트롤리가 선로 위를 달리고 있다. 이대로 계속 돌진하면 선로에서 피할 틈이 없는 다섯 명이 치여 죽게 된다. 이 사람들을 구할 수 있는 유일한 방법은 선로 변환기를 당겨서 선로를 바꾸는 것이다. 그런데 선로를 바꾸면 다섯 사람 대신 옆 선로에 있는 한 사람이 죽게 된다. 선로 변환기를 당겨야 할까?

육교 딜레마 실험 : 질주하는 트롤리가 선로에 있는 다섯 명의 목숨을 위협하고 있다. 그러나 이번에는 당신이 선로 위에 있는 육교에 서 있고 당신 옆에는 덩치가 큰 사람이 서 있다. 다섯 명의 목숨을 구할 수 있는 유일한 방법은 그 사람을 다리에서 밀어서 선로 위로 떨어뜨리는 것이다. 그 사람은 죽겠지만, 그의 몸이 트롤리를 지연시켜서 다섯 명의 목숨을 살리게 된다. 이 경우에 그 사람을 밀어서 떨어뜨려야 할까?

<나>

실험심리학자 그린(J. D. Greene)과 동료들은 트롤리 딜레마와 육교 딜레마에 대한 사람들의 도덕판단 및 그와 관련한 뇌 반응을 fMRI(기능성 자기공명영상)를 활용하여 연구하였다. 트롤리 딜레마 실험에서는 전체 피험자의 85%가 선로를 바꾸는 것이 도

덕적으로 허용 가능하다고 반응했으며, 다수가 판단의 근거로서 '최대 다수의 최대 행복을 추구하라'는 원리를 들었다. 반면, 육교 딜레마 실험에서는 12%의 사람들만이 덩치 큰 사람을 아래로 미는 행위가 도덕적으로 허용 가능하다고 반응했으며, 도덕적으로 허용할 수 없다고 응답한 다수는 판단의 근거로서 '인간을 단지 수단으로만 대하지 말고 목적으로 대우하라'는 원리를 들었다. 트롤리 딜레마를 접한 피험자들의 뇌는 작업 기억과 같은 이성적 추론 기능과 관련된 뇌 영역이 활성화되었고, 정서를 담당하는 뇌 영역은 덜 활성화되었다. 반면, 육교 딜레마에서는 정서와 관련된 뇌 영역이 더욱 활성화되었고, 이성적 추론과 관련된 뇌 영역은 덜 활성화되었다. 이러한 실험 결과는 의무론적 판단과 결과론적 판단이 각각 다른 사고 유형에서 연유한다는 것을 말해준다. 그리고 뇌 실험을 토대로 한 이러한 해석은 ㉠ 의무론적 판단이 이성의 산물이라는 전통적인 관점에 이의를 제기하는 것이기도 하다.

<다>

복잡한 뇌 기능을 설명하기 위해 많은 심리학자들과 신경과학자들은 두 가지 유형의 사고방식, 즉 직관적인 사고방식과 추론적인 사고방식으로 구분한다. 전자를 '자동 시스템', 후자를 '숙고 시스템'이라 명할 수 있는데, 자동 시스템은 주로 감정에서 연유한 반응, 숙고 시스템은 주로 이성에서 연유한 반응으로 볼 수 있다. 우리는 종종 '너무 많은 생각이나 심사숙고가 독이 될 수 있기 때문에' 혹은 '직관적 판단을 믿고 그대로 밀고 나가는 편이 더 낫다'는 생각으로 자동 시스템에 과도하게 의존해서 실수나 오류를 저지르기도 한다. 다시 말해, 성가신 문제를 쉽게 해결하려고 하기 때문에 빠르게 선택하고 판단을 내리는데, 강한 직관으로 도출된 결과는 과신을 부추기기도 한다. 반면, 숙고 시스템은 신중하며 추론적이다. 상황이 복잡하고 여러 이해 당사자가 얽혀있어 공리주의적 판단이 요구되는 경우에는 숙고적이고 추론적인 사고가 이루어진다. 숙고 시스템은 직관적 판단에 의해 발생한 실수나 오류를 교정해 주거나 속도를 늦추고 대안을 생각하게끔 하기 때문에 자동 시스템보다 현명하거나 선할 수도 있다. 또한 숙고 시스템은 자동 시스템이 판단을 내리면 그러한 판단을 이성적으로 사후 정당화하는 역할을 한다.

<라>

넛지는 '팔꿈치로 옆구리를 슬쩍 찌르다', '넌지시 암시하다' 등의 의미로서, 강제나 지시에 의한 억압보다는 자연스러운 상황을 만들어 사람들이 올바른 선택을 하도록 이끌어 주는 것을 말한다. 최근 공공정책 분야에서 사람들의 올바른 선택과 행동을 유도하기 위한 넛지 활용이 늘어나고 있다. 이러한 방식은 제한적 합리성을 지닌 개인이 공공선(common good)에 부합하는 방향으로 선택과 행동을 취하도록 유도하는 것이라 할 수 있다. 넛지는 개인이 올바른 선택을 하도록 개입(유도 또는 간섭)한다는 측면에서 개입주의(paternalism)적 속성을 지니고 있지만, 개인에게 선택의 옵션을 제공하고 특정 선택을 강요하지 않는다는 측면에서 자유주의적 속성도 지니고 있다.

자유주의적 개입주의를 표방하는 이러한 넛지는 분명 공공선 획득에 대한 사회적 비용을 절감할 수 있는 효율적 수단이 될 수 있다. 대표적으로, ⓒ 옵트-인(opt-in)과 옵트-아웃(opt-out) 방식으로 구성되는 디폴트 규칙은 규칙 설계자가 원하는 옵션을 자동적으로 채택되게끔 하는 메커니즘이다. 특정 옵션을 선택하면, 개인이 그것을 적극적으로 변경하지 않는 이상 지속해서 그 옵션에 대한 선택이 유지되는 것이다. 그러므로 이러한 디폴트 넛지는 공공의 이익 증진을 위해 활용되기도 한다. 장기기증 프로그램이나 노후 보장 연금 프로그램에 디폴트 규칙을 활용한다면 공공의 이익에 부합하는 결과를 얻을 수 있다. [그림 2]는 디폴트 방식에 따른 유럽의 국가별 장기기증 동의율을 나타낸 것이다. 이처럼 넛지를 옹호하는 이들은 온건한 개입을 통해 사람들의 바람직한 선택을 유도하면 개인의 후생이나 공공의 이익이 커질 수 있다고 주장한다.

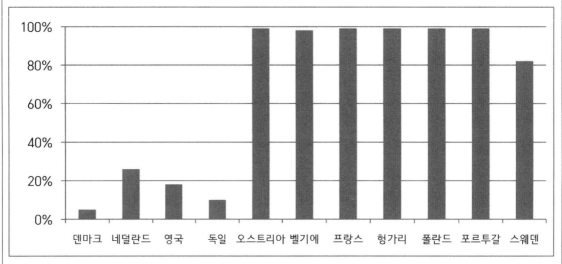

[그림 2] 디폴트 방식 차이에 따른 국가별 장기기증 동의율

그러나 온건한 개입주의를 받아들일 경우, 그것이 점차 강경한 개입주의로 나아갈 수 있음을 우려하는 시각도 존재한다. 온건한 개입이 점차 노골적인 조작이나 개입으로 바뀔 수 있다는 점에서, 넛지의 도입은 국가가 개인의 삶에 사사건건 간섭하는 '빅 브라더'로 나아가는 미끄러운 비탈길(slippery slope)이 될 수도 있다는 것이다. 온건한 경고 문구로부터 시작된 계도적인 담배 디자인이 점차 혐오스러운 디자인으로 바뀌고, 뒤이어 담배에 대한 높은 세금 부과와 공공장소에서의 금연 조치까지 나아가게 된 것이 단적인 예이다. 권력을 지닌 사람들은 대중의 선택을 프레이밍하고 대중의 결정을 자신들의 목적에 맞게 조작하는 기술에 매우 능한 사람들이기 때문에 민간 부문뿐만 아니라 공공부문에서도 설계자 자신에게 이로운 방향으로 넛지를 활용할 수 있는 것이다. 왜냐하면 선택 설계자들은 나름의 의도를 가지고 있으며 특정한 의도를 가진 넛지는 결국 사람들을 특정한 방향으로 조종하기 위한 수단으로 기능할 수 있다.

* 옵트 인(opt-in) : 특정 사안에 대해 모두가 자동으로 부동의한 것으로 간주하고, 원하는 사람에 한하여 동의 처리하는 방식.
* 옵트 아웃(opt-out) : 특정 사안에 대해 모두가 자동으로 동의한 것으로 간주하고, 원하지 않는 사람

에 한하여 부동의 처리하는 방식.

〈마〉

"오늘 오후에는 무엇을 공부하지?" 국장이 물었다. "지금은 기초 계급의식 학습 시간입니다." 보모가 답했다. 길게 줄지어 선 간이침대에는 80명의 아이들이 새근새근 숨을 쉬고 있었다. 모든 베개 밑에서 작은 웅얼거림이 들려왔다. "알파 아이들은 회색 옷을 입어요. 그들은 너무나 무서울 정도로 총명하기 때문에 우리보다 훨씬 열심히 일합니다. 나는 그렇게 열심히 일하지 않아도 되기 때문에 베타라는 것이 굉장히 기쁩니다. 대신 우리는 감마나 델타보다 훨씬 나아요. 감마들은 어리석어요. 그들은 모두 초록색 옷을 입어요. 델타 아이들은 황갈색 옷을 입습니다. 난 델타 아이들하고는 놀고 싶지 않아요. 앱실론은 더 형편없죠. 그들은 너무 우매해서..." 국장이 견습생들에게 말하기 시작했다. "이 아이들은 잠이 깨기 전에 저 말을 4~50번 거듭해서 듣고 목요일, 토요일에도 또 듣는다. 일주일에 세 번 120번씩 30개월 동안 듣게 된다. 최면 학습은 도덕화, 사회화시키는 가장 효율적인 방법이다. [...] 마침내 아이의 마음은 이러한 암시와 하나가 되고, 암시의 총체는 아이의 이성이 된다. 뿐만 아니라, 어른의 이성도 역시 평생 동안 줄곧 이러한 암시들의 지배를 받는다. 판단하고 갈망하고 결정하는 이성은 바로 이런 암시들로 구성되어 있다. 하지만 이런 모든 암시들은 우리들이 제시하는 암시다!" 국장은 의기양양해서 소리를 지르다시피 했다. "국가에서 마련한 암시들이라는 뜻이다!"

-올더스 헉슬리, 『멋진 신세계』 中

지원학부(과)	수 험 번 호	주민등록번호 앞6자리(예:040612)

성 명

1번 답안   (반드시 해당 문제와 일치 하여야 함)

60
120
180
240
300
360
420
480
540
600
660
720
780
840
900
960
1020

성신여자대학교
SUNGSHIN WOMEN'S UNIVERSITY

2번 답안 (반드시 해당 문제와 일치 하여야 함)

60

120

180

240

300

360

420

480

540

600

660

720

780

840

900

960

1020

2. 2024학년도 성신여대 수시 논술 (2교시)

[문제 1]

제시문 <가>에 제시된 ㉠의 의미를 간략히 설명한 후, <나>의 제시문들을 활용하여 그 발생 원인을 종합적으로 설명하고, <나>의 제시문들을 활용하여 ㉠에 대처하는 개인의 바람직한 자세에 관해 서술하시오. (900±100자)

[문제 2]

제시문 <다>의 ㉡과 제시문 <마>의 ㉢의 의미를 간략히 설명하고, 이를 활용하여 제시문 <라>의 상황을 진단한 후, 이를 바탕으로 제시문 <가>의 이슈에 대한 국제사회의 바람직 한 대응 방안을 논술하시오. (900±100자)

<가>

생성형 인공지능(Generative Artificial Intelligence)은 이미 존재하는 데이터로부터 어떻게 행동을 취할지를 배우고 이러한 학습에 기반하여 텍스트, 이미지, 영상, 혹은 컴퓨터 코드 등의 새로운 콘텐츠를 생성한다. 생성형 인공지능은 학습을 위해 주로 인터넷에서 수집된 거대한 양의 데이터를 이용하고, 어떤 주어진 대상이 있을 때 그 옆에 무엇이 오는 것이 가장 그럴듯한지 판단하여 결과를 제시한다.

생성형 인공지능의 대표적인 예로 '챗GPT(ChatGPT)'를 들 수 있다. GPT는 '생성형 사전훈련 트랜스포머(Generative Pre-trained Transformer)'의 약자다. 2022년 11월 오픈 AI(OpenAI)가 공개한 인공지능(Artificial Intelligence, 이하 AI) 챗봇인 챗GPT는 공개 두 달 만에 1억 명의 이용자를 돌파하여 인류 역사상 가장 빠른 속도로 1억 명이 넘는 서비스 이용자를 확보하였다. 이전의 생성형 AI와 다르게 챗GPT는 인간의 피드백을 통한 강화학습을 바탕으로 인간과의 개방형 대화에서 자연스러운 응답을 더 잘 생성하고 비윤리적인 발언이나 사회적으로 금기시되는 말이 등장하는 빈도를 낮출 수 있었다.

대규모 언어모델(Large Language Model, 이하 LLM)을 기반으로 한 생성형 AI의 한 종류인 챗GPT는 정보 검색, 문서 요약, 프로그래밍, 언어 번역 및 교정, 콘텐츠 생성 등 다양한 분야에서 높은 수준의 성능을 보이며 우리 사회 최대 화두의 하나로 급부상하였다. 이러한 챗GPT 열풍은 구글, 마이크로소프트, 메타와 같은 거대 글로벌 기술 기업들뿐 아니라 각국 정부 및 인공지능 관련 기업들로 하여금 인공지능 관련 정책 전반을 재점검하도록 하는 계기를 제공하였다.

챗GPT를 포함한 생성형 AI는 창작 분야뿐 아니라 다양한 분야에서 유용하게 활용되고 있지만, 생성형 AI 모델 자체가 갖는 한계나 위험성에 대한 논의 또한 활발히 진행되고 있다. 세계적 언어학자인 노엄 촘스키 교수는 최근 그의 동료들과 함께 뉴욕 타임스에 '챗GPT의 거짓 약속 (The False Promise of ChatGPT)'이라는 글을 공동으로 기고했다. 그들은 챗GPT 열풍을 진단하면서, 챗GPT와 같은 인공지능이 적은 양의 정보로도 작동하고 데이터 간 상관관계를 추론하고 설명하는 등 효율적으로 작동하는 인간의 뇌를 추월하는 순간이 도래하는 날은 아직 한참 멀었다고 주장하였다. 또한, 이들은 이러한 AI 프로그램들은 도덕적 사고 능력이 없다는 점에서 한계를 갖는다고 보았다.

 LLM에 기반해 가장 그럴듯한 말을 내놓도록 학습된 생성형 AI는 거짓을 사실인 것처럼 대답하거나 존재하지 않는 정보를 제시하는 등 ㉠ **환각(hallucination)** 이슈를 낳고 있다. 생성형 AI와 관련하여서는 환각 이슈 외에도 악성 코드나 텍스트를 삽입하거나 교묘한 질문 등을 통해 인공지능이 규칙을 벗어난 행동을 하도록 유도하거나 보안 문제를 일으킬 수 있다는 점이 지적되고 있다.

 한편, AI 관련 기술이 계속해서 발전하고 확산하는 가운데 국제적 관련 규범이나 검증 가능한 규제책이 부재한 상황이다. 이러한 상황에서 AI 기술 선진국과 기업들은 계속하여 우월한 지위를 누리기 위해 경쟁할 것이 우려되고 있다. 2023년 5월 30일, AI 연구의 선구자인 제프리 힌턴, 오픈AI 대표인 샘 알트먼, 구글 딥마인드 대표인 데미스 하사비스, 마이크로소프트 창업자인 빌 게이츠 등을 포함한 수백 명의 인공지능 연구자 및 유명 기업가들은 AI의 위험성에 대한 주의를 촉구하는 성명서에 서명하였다. 해당 성명서는 "AI로 인한 멸종 위험을 완화하는 것은 전염병 및 핵전쟁과 같은 다른 사회적 규모의 위험과 함께 전 세계적으로 우선순위가 되어야 한다"고 선언하고 있다.

<나>

① 2023년 소프트웨어정책연구소가 발간한 보고서에 따르면, 챗GPT를 통해 도출한 답변이 항상 신뢰할 수 있는 것은 아니라고 한다. 해당 보고서에 따르면, 챗GPT에 의해 생성된 답변의 신뢰성은 학습 데이터의 완성도에 의해 영향을 받게 되는데, 학습 데이터의 완성도 수준에 대해서는 적정한 기준이 정립되지 않았으며, 학습에 활용된 데이터의 출처도 별도로 관리되지 않는다고 한다. 또한, 해당 보고서는 챗GPT가 사전에 학습하지 않은 사항에 대해서는 신뢰성이 보장되지 않은 답변을 하는 문제점을 제시하고 있다. 한편, 이 보고서는 GPT의 경우 생성물에 대한 판별기술이 없어서 사실과 다른 내용의 답변을 사실인 것처럼 제시하는 경우가 있음을 지적한다. 2023년 5월 CNN과 뉴욕 타임스가 보도한 내용에 따르면 30년 경력의 미국 변호사가 챗GPT를 활용해 판례를 검색한 후 법원에 제출하였으나, 그중 일부 판례는 실제로는 존재하지 않는 것으로 밝혀진 사례도 있다.

② AI가 도출한 결론은 편향성을 갖는 경우가 존재한다. 이러한 편향성이 발생하는 이유는 다양하다. AI가 학습한 데이터 자체가 부족한 경우, AI는 편향된 결과를 도출하기도 한다. 한편, 학습 데이터 자체가 충분하다고 하더라도 데이터가 담고 있는 정보가 다양하지 않은 경우, AI는 편향된 결과를 도출하기도 한다. 또한, AI의 학습 데이터를 구축하는 과정에서 인간의 편견이 반영되는 경우, AI는 이러한 편견이 반영된 결과를 도출하기도 한다.

③ '콘텐츠 팜(content farms)'은 생성형 AI를 이용하여 '가짜 뉴스(fake news)'를 양산하고 이를 배포하는 사이트를 의미한다. 이러한 콘텐츠 팜은 전통적 언론 기관으로 가장한 뉴스 사이트를 통해 생성형 AI를 이용하여 생성된 가짜 뉴스를 마치 속보인 것처럼 배포한다. 콘텐츠 팜은 특정 국가의 대통령이 사망하였다는 허위사실이나 선정적인 가상의 사안을 실제 상황에 대한 속보인 것처럼 배포하기도 한다. 이러한 콘텐츠 팜은 다양한 언어를 기반으로 여러 국가에서 운영되고 있다. 콘텐츠 팜은 기사 클릭 수에 상응하여 발생하는 광고 수익을 주된 수입원으로 한다.

<다>

1859년 찰스 다윈의 「종의 기원(On the Origin of Species)」이 발표되고, 유기체와 환경의 관계를 진화론적 사고로 이해할 수 있다는 인식이 확대되었다. 영국의 경제학자인 허버트 스펜서가 사회 발전의 진화과정을 설명하면서 쓴 적자생존, 약육강식의 단어가 다윈의 진화론을 해석하는 의미로 전도되어 20세기 후반까지도 여러 분야에서 사용되었다. 본래 다윈이 유전, 경쟁, 그리고 자연선택의 개념으로 진화를 해석하면서 가장 주목 한 지점은 ⓒ **'변이의 다양성'**이다. 이것은 외부요인에 의한 환경 변이나 유전자 변화와 같은 돌연변이를 통해 같은 종에서 성별, 나이와 관계없이 모양과 성질이 다른 개체가 존재하는 현상을 일컫는다. 열등한 유전자는 사라져가고 우수한 유전자만 남는다면 개체 안의 우수한 유전자들 사이에서 변이의 발생이 줄어들다가 어쩌면 변이가 사라질지도 모른다. 변이가 없다면 진화를 설명하기 어렵다.

지리학에서는 다윈의 진화론을 도시의 발달에 적용하여 산업화에 의한 도시와 비도시 간의 차별적 성장을 설명하였다. 지리학은 산업화의 지역적 선택, 시장과 자본을 확대하기 유리한 유전자적 조건의 승계, 그리고 도시화로 인한 경제성장의 성취를 진화론을 통해 설명하였다. 자연조건의 압력 아래 유리한 유전자를 지닌 개체가 더 잘 살아남아 다음 세대로 이어진다는 진화론을 산업화에 의한 도시 진화에 적용한 것이다. 산업화의 성과로 획득한 자본과 이를 수용하는 도시가 가장 우월하거나 강한 형질을 지닌 유전자라고 여겨진 바 있다. 그러나 과도한 도시 개발은 생태계 교란, 자원의 고갈, 그리고 기후 변화의 위기를 초래하였고, 이로 인해 인류는 지속가능한 미래를 위해 새로운 공동의 목표를 설정하였다. 도시연구자들 사이에서는 비도시가 도시에 비해 열등하다는 인식에서 벗어나, 기능보다 환경을 우선하고 농촌 경관과 공존하는 새로운 도시 모형을 논의하며 2차 세계대전 직후의 공동체형 도시 환경으로 회귀하자는 움직임이 일어났다. 진화는 다양함이 공존하는 상태에서, 때로는 앞으로, 때로는 회귀하며, 최적의 선택을 통해 변이해 나가는 것으로 설명될 수 있을 것이다.

<라>

미국의 언어학자인 비오리카 마리안은 생성형 AI의 확산으로 인해 소수어가 주도적인 언어에 의해 축출되는 결과가 발생할 수 있으며, 이는 인간의 창의성과 사고의 다양성을 위축시키는 결과를 초래할 수 있다고 하였다. 이러한 진단은 LLM에 기반한

생성형 AI가 사용인구가 많은 언어를 중심으로 학습이 이루어지고 활용되는 현상에 기인한다. 국제적 분쟁, 내전, 자연재해 등에 의해서 언어가 소멸하기도 하지만, 영향력이 강한 언어의 사용 빈도 증가로 인해 영향력이 적은 언어가 소멸하기도 한다. 후자의 맥락에서 생성형 AI의 등장이 언어 소멸의 속도를 부추길 것이라 예상되기도 한다.

AI는 자원과 기술력이 집중된 선진국들에서 개발되기 유리하다. 실례로, 미국은 세계의 인재를 흡수하는 대학, 혁신 기술을 신속하고 확산적으로 수익화할 수 있는 기업 생태계, 연구개발에 대한 정부의 지원에 힘입어 AI 기술 발전을 주도하며 AI 산업에서의 영향력을 확대하고 있다.

<마>

1975년 캘리포니아의 아실로마에서 유전학자들이 모여 DNA 재조합 실험이 갖는 위험성에 대해 윤리적 성찰을 촉구하였다. 이들은 미국 국립보건원이 재조합 실험 가이드라인을 발표하기까지 6개월간 모든 실험을 멈춘 바 있다. 그 결과 생명공학은 인류 공동의 기준을 가질 수 있었다. '전형으로부터의 일탈 또는 편향'으로 해석되던 변이가 다윈에 의해 ⓒ **진화의 원동력**으로 재조명되었듯이, 변화하는 환경 속에서 살아남는 개체군은 유전적 변이를 풍부하게 지닌 것들이다. 어떤 선택으로 다양한 유전자의 변이를 이룰 수 있는지 공동의 가치를 고민해야 한다. 혁신의 변이 생성은 자연의 변이 생성과 마찬가지로 즉흥적으로 발생하지는 않는다. 생성형 AI 시대의 초입에서 모두가 '무엇을', '어떻게'라는 질문에 몰두하고 있지만, '왜'와 '어디로'라는 질문도 던져야 한다.

1번 답안   (반드시 해당 문제와 일치 하여야 함)

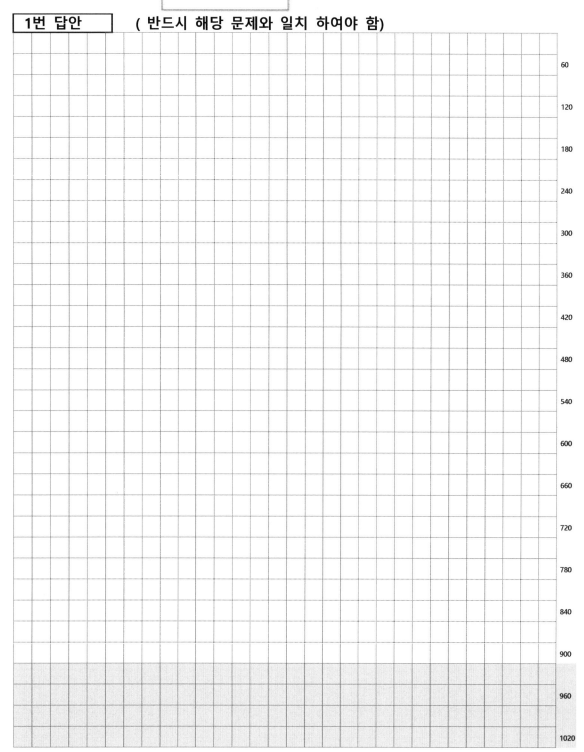

60
120
180
240
300
360
420
480
540
600
660
720
780
840
900
960
1020

<table>
<tr><td>지원학부(과)</td><td>수 험 번 호</td><td>주민등록번호 앞6자리(예: 040512)</td></tr>
</table>

성신여자대학교
SUNGSHIN WOMEN'S UNIVERSITY

성 명

2번 답안   (반드시 해당 문제와 일치 하여야 함)

60
120
180
240
300
360
420
480
540
600
660
720
780
840
900
960
1020

3. 2024학년도 성신여대 모의 논술

[문제 1]

제시문 <가>에 나타난 '지방소멸'의 용어를 통해 현재 한국 사회의 변화를 설명하고, 제시문 <나>의 '고향사랑기부제' 적용이 한국의 지속적인 국토 균형개발에 어떠한 영향을 미칠 수 있는지 논술하시오. (800~1000자)

[문제 2]

제시문 <다>에 밑줄친 ㉠이 가리키는 개념과 의미, 발생 원인을 서술하고, ㉠의 긍정적 효과와 부정적 효과에 대해 순서대로 논술하시오. (800~1000자)

<가>

 지방소멸은 인구 변화와 비도시 지역 쇠퇴의 불균형에 대한 위협적 경고이다. 일본 학계에서 사용하기 시작한 '지방 소멸'은 자극적 용어 자체가 지닌 파급력과 함께 한국의 지역 격차 문제에 그대로 적용되었다. 국토의 한 지역이 날아 가거나 푹 꺼지듯 사라지는 것도 아니고, 인구가 0이 되는 것도 아닌데, 과연 지역이 사라져 없어질 수 있을까? 다만, 지방의 인구 과소화가 심화되면서 사회 경제적 환경이 점점 더 악화되는 것에 대한 심각성을 강조하고자 하는 것이다. 한국은 1960년대 이후 서울과 수도권을 중심으로 경제 성장을 주도한 결과, 서울과 울산, 그리고 행정도시로서의 세종시 등 경제적 생산성이 높은 소수의 도시를 제외한 나머지 시군구는 인구 감소와 함께 사회·경제적 활동의 퇴조를 경험하고 있다.

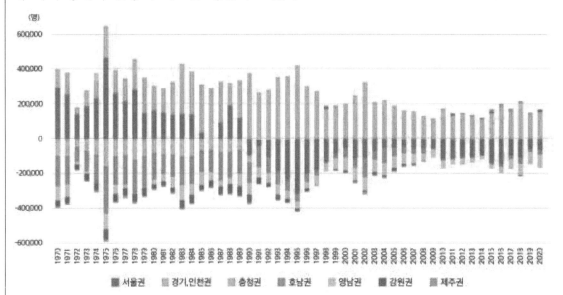

권역별 순이동 추이 1970~2020(인구이동통계연보)

 위 그래프의 연도별 인구 이동 추이를 보면 20세기 후반까지 서울과 경기 인천권으로의 순이동이 집중하였고, 이후 서울은 약간의 감소추세를 보이지만 여전히 경기·인천의 인구 이입 비율은 타 지역에 비해 높다. 신산업 입지와 신도시 개발 등 정책적인 변수가 작용하는 것이다. 아래의 두 지도는 행안부가 지정한 89개의 인구 감소 관심 시군지역과 1975년-2020년간 지역별 인구 이동을 나타내주는 것으로, 두 지도에서 나타내는 현상이 일치하고 있음을 보여주며, 이는 인구 분포의 왜곡을 잘 보여주고 있다. 어떤 한 지역의 인구가 감소한다해도 국가와 지방정부는 그 지역에 최소한의 하부 구조를 유지하고 서비스를 제공해야 하기 때문에 국가 전체의 효율성에 영향을 미친다. 따라서, 지방이 소멸되는 것이 문제라기보다 오히려 소멸되지 않아 문제인 것이다.

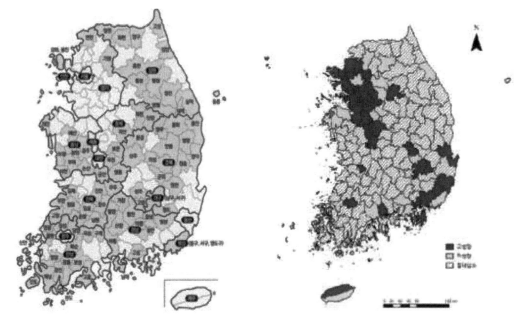

지방소멸위기지역, 2020(행안부)　　　　　인구변화 1975-2020, (통계청)

　대도시, 중핵도시로의 인구 유출에 따른 인구 감소, 고령화의 증대와 젊은 여성 인구의 감소는 지방소멸 위험성의 주요인이다. 한국은 이미 2000년대 고령화사회에 진입하였다. 평균 수명의 증대와 함께, 출산율 감소가 고령화를 가속 시킨다. 저출산은 곧 인구 고령화로 직결되고, 고령화로 인한 여러 가지 문제는 다시 저출산으로 이어져 악순환이 계속된다. 인구 감소와 고령화는 사회적 연결성을 약화시키고, 공동체의 유대감이 위축되어 사회적 활동도 저하된다. 인프라 및 공공서비스의 분배에도 영향을 주어 생활 편익과 질이 저하된다. 코로나-19를 경험하면서 더욱 심화된 지역간 격차와 인구 감소 문제에 대한 방안으로 행안부와 중기부는 '지방소멸 대응기금'을 활용하여 행·재정적인 지원을 위한 특별법을 마련하였다. 이러한 노력이 한시적이지 않도록 지속적 지원에 대한 명확한 계획과 실현 가능한 현실적 방안에 대한 세밀한 검토가 우선되어야 한다.

<나>

　지역의 매력도는 경제적인 요인뿐만 아니라, 어메니티(amenity)라는 '매력성'의 요소와 함께 사회적 연계성과 견고함을 형성한다. 지방 주민들의 이주 행태는 근린의 매력성, 도시적 매력성, 그리고 환경의 매력성 등에 영향을 받는다. 근린의 매력성은

의료서비스, 주택가격, 교육의 질(초·중·고등학교의 질), 범죄 예방 등과 관련이 있고, 도시적 매력성은 백화점·대형마트 등 잘 갖추어진 상업시설, 대학과 공공서비스의 질, 도서관, 극장, 스포츠 시설 등 문화시설로 이루어진다. 또한 환경적 매력성은 대기의 질, 상수도 수질, 공원 및 오픈 스페이스 등의 다양한 요인들로 구성된다. 이러한 요인들은 지역에 대한 흥미와 관심을 높이는 특성으로 작용하며 인구 이동에 영향을 미친다. 지역의 매력도는 그 자체로 관광 자원이 되어 일자리 창출, 부동산 가치 상승, 지방자치단체의 세수 확장, 인구 유입으로 인한 수요 증가와 산업 활성화 등의 다양한 효과를 창출한다. 지역의 정체성과 고유의 문화 또는 생활 양식 등이 기반이 된 지역의 매력성은 주민이 중심이 된 관련자들과의 협치에 의해 강화된다.

한국의 인구 분배는 1960년대 이후 산업화와 도시화의 결과, 서울 대도시권과 이외 지역으로 양분 되었다. 지방에서 성장한 각 분야의 우수한 인재들이 서울 혹은 사회경제적 지위가 강력하게 형성된 대도시 지역으로 유출되는 탓에, 이들이 나고 자란 고장에 그들의 우수한 능력을 기여하는 선순환을 기대하기 어렵다. 애향심을 가지고 지역 공동체와 지속적인 연대를 형성하는 것은 침체된 지역에 활력이 될 수 있음에도 불구하고, 경제적 기반이 잘 구축된 지역을 향해 떠난 사람들은 다시 돌아오지 않고 고장을 공동화시킨다. 지자체와 지방의회는 지역 출신의 인재와 청년들이 떠난 고향에 관심을 가지고 서로 협력을 이루어 공동체 문화 상생에 기여할 것을 기대하며 고향에 '기부금을 납부할 수 있는 제도' 도입을 건의해 왔다. 일본은 2008년부터 고향에 기부하면 세액감면 등의 혜택을 제공하는 '고향납세' 제도를 운영하고 있다. 이는 재난 상황과 복구 등의 상황에서 고향이 어려움을 겪고 있을 때 지자체의 세수 지원에 상당한 도움을 주었다. 2016년부터는 기업도 기부할 수 있도록 '기업형 고향납세' 제도를 시행하며 최대 90%까지 세액을 공제해 준다. 이런 사례를 통해, 한국은 2021년 고향기부의 모금, 접수, 활용 방안을 담은 「고향사랑 기부금에 관한 법률」을 제정하고, 2022년 시행령을 제정, 2023년부터 자치정부별로 제도를 시행하고 있다.

'고향사랑기부제도'란 일반 국민이 자신이 살고 있는 거주지 외의 자기 고향이나 애착이 가는 지자체에 일정 금액을 기부하면 중앙정부로부터는 세액공제 혜택과 함께 기부한 지방으로부터는 지역특산품이나 관광·레저시설을 이용할 수 있는 상품권 등을 답례품으로 받는다. 기부 금액은 연간 500만원까지인데, 10만원까지는 전액(100%) 공제되고 초과분에 대해서는 16.5%를 공제받을 수 있다. 답례품은 기부금의 30% 이내, 최대 100만원까지 가능하다. 예컨대, 100만원을 기부하면 10만원 전액과 초과분 90만원의 16.5%인 14만 8천원을 합해 연말에 24만 8천원을 공제받고 100만원의 30%인 30만원 상당의 답례품을 받을 수 있다. 덤으로 기부로 기여한 긍지도 생긴다. 이제 막 시행한 고향사랑기부제의 효과를 판단하기에는 아직 이르지만, 고향세 모금이 시행된 이후 지역에 기금이 투입되면 지역민의 삶에 어떠한 변화가 이루어질지는 아직 모호하다. 또한, 어떤 동기가 부여되어 누가 기부를 하려는지 기부 참여에 대한 행태도 모호하다. 지자체의 기존 사업의 예산과 고향세 기금이 어떻게 구분되어 활용될지도 뚜렷치않다. 기본적인 답례품을 종합정보 시스템에 구축해 놓아야 하는데, 아직 정해지지 않은 기금을 예상하며 지자체의 특성을 보여줄 수 있는 금액별 핵심 답례품은 어떻게 계획할까? 자칫 도시적 상업시설물의 입지와 대형 문화시설 등을 유치하는데 기금을 충당하면 이후 지역 환경의 변화는 어떻게 감당할 것인가? 내 고향에 대한 추억과 자긍심으로 애향심이 발현되고, 매력적인 지역에 대한 관심이 유도되어야 고향의 발전에 보탬이 되는 기부의 마음이 열릴 것이다.

<다>

프랑스 파리는 1970년대까지는 도심 내 대형 상업건물이 입지하면 인센티브를 부여하는 등 도시계획차원에서 대규모 상업기능을 장려하는 정책을 추진하였다. 대규모 상업시설이 입점한 이후 상업가로에는 상업기능의 고급화, 체인화가 현저히 늘어나는 반면에 소규모 상점들이 감소하고 대형 프렌차이즈에 의한 독점적 잠식이 나타나면서 상권의 다양성이 감소하고 상권의 활력도 점차 부진하게 되었다. ㉠ **이러한 현상**에 대응하기 위해 소상공인의 보호를 위한 노력의 필요성이 제기되었다. 파리시는 2006년 파리도시계획을 수립하여 400여개 특정가로를 세 가지 유형으로 구분하여 보호상업 가로로 지정하였다. 파리시는 SEMAEST라는 기구를 통해 보호상업가로 안의 상가를 매입하여 일상생활에 필요하나 경쟁력이 약한 업종을 중심으로 지역소상공인과 수공업자에게 저렴한 가격에 임대하였다.

독일 라인강변 인구 100만의 쾰른시 서부에 위치한 에렌펠트는 1970년대까지 슬럼화된 지역으로 노동자 계층의 주거지였으나, 2009년 도시재정비 사업이 완료되면서 새로운 도시 이미지와 함께 젊은 계층이 선호하는 커뮤니티로 변화하였다. 그러나 지역의 환경 개선에 따라 주택 임대료가 급등하였고, 주거지역의 상업화 양상도 커지게 되었다. ㉠ **이러한 현상**이 나타나자 지역주민들은 에렌펠트 공동체 정원을 만들었고, 이동 가능한 상자에 식물을 재배하여 지역 주민 간 공유경제를 실천하였다. 이 운동은 누구나 건축하고 살 수 있는 프로젝트인 레이첼 건축 프로젝트로 발전하였는데, 이 프로젝트는 25,000유로에 25㎡ 규모의 주택모듈로 에너지 자립이 가능한 공동주거단지를 지향한다. 레이첼 프로젝트는 지역주민과 젊은 건축가들의 자율적 협력을 바탕으로 주민들의 정주성을 보호하면서도 도시의 활력을 강화하는 방안으로 주목받고 있다.

지원학부(과)	수 험 번 호	주민등록번호 앞6자리(예 840512)

성   명

1번 답안   (반드시 해당 문제와 일치 하여야 함)

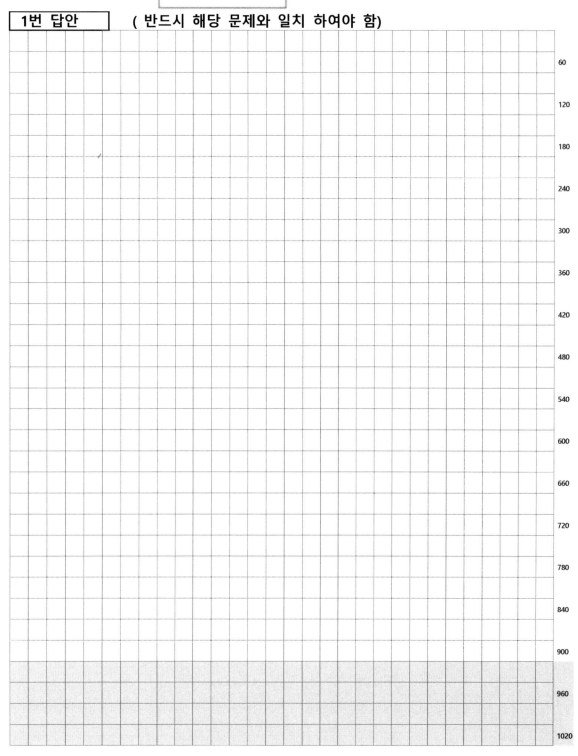

성신여자대학교
SUNGSHIN WOMEN'S UNIVERSITY

2번 답안   (반드시 해당 문제와 일치 하여야 함)

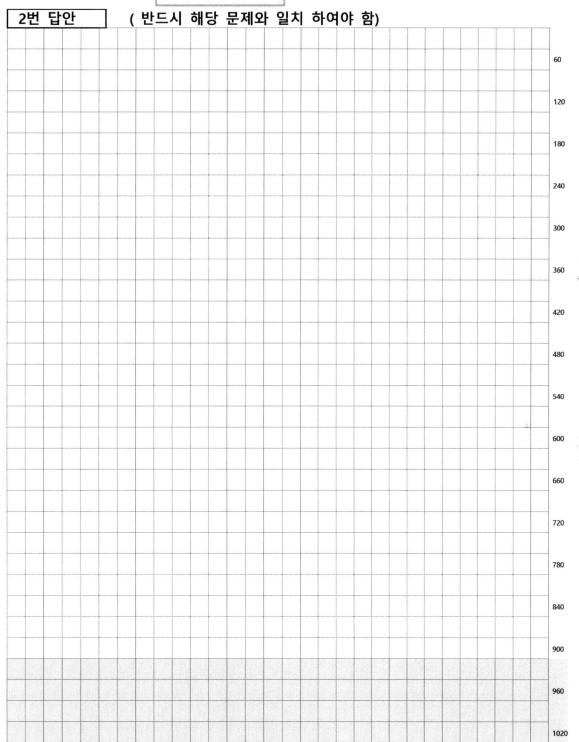

4. 2023학년도 성신여대 수시 논술 (1교시)

[문제 1]

제시문 [가]의 K씨 사례를 A안과 B안에 각각 적용하여 순 혜택을 평가하고, [나]에 제시된 노인연금의 문제점을 해결할 수 있는 대안을 [가]를 활용하여 논하시오. (900±100자)

[문제 2]

제시문 [다]에서 제시된 공자와 정약용의 관점을 비교·요약하고, [라]의 미국 정부의 학자금 대출 탕감 정책에 대한 찬반 의견을 밝히고, [라]에 나타난 문제점에 대한 해결방안을 공자와 정약용의 관점에서 논하시오. (900±100자)

<가>

　국가는 복지 제도를 통해 사회 구성원의 삶의 질을 높이고자 노력하지만, 이를 운용하는 과정에서 여러 가지 한계가 나타나기도 한다. 복지 제도를 과도하게 시행하여 복지 제도에 관한 국민의 의존도가 높아지면 사회 전체적으로 근로 의욕이 저하하여 생산성과 효율성이 떨어지는 부작용이 나타날 수 있다. 또한 복지 제도를 시행하기 위해서는 비용이 들어가기 때문에 복지 제도의 확대는 국가 재정에 부담이 되기도 한다. 이러한 국가 재정의 부담은 과도한 조세 징수로 이어질 수도 있으며, 국가의 복지 제도를 운용하는 과정에서 복지 혜택을 받아야 하는 대상자를 선별하는 데 어려움을 겪을 수도 있다. 복지와 증세 관련하여 두 개의 정책안을 비교해 봄으로써 복지 정책을 결정할 때 조세 정책도 함께 고려할 필요가 있음을 알 수 있다. 편의상 한 가상국가의 정부가 복지를 위해 지출하는 비용과 조세 징수를 통해 얻는 재정이 같은 균형 재정을 달성한다고 가정하고 복지와 증세에 대한 정책으로 A안과 B안이 있다고 가정해 보자. 그리고 이 국가에서는 인간이 최소한의 생활을 유지하는 데 필요한 소득으로 1인당 연간 1,000만원이 필요하다고 가정하도록 하자.

A안: 무소득자에게는 1년에 1,000만원의 복지 혜택을 제공하고, 소득자에게는 소득의 20% 만큼 복지 혜택을 축소한다. 연 소득이 5,000만원을 초과할 경우, 5,000만원 초과분의 20%를 세금으로 징수한다.

B안: 복지 혜택으로 모든 국민에게 1년에 1,000만원의 기본소득을 제공한다. 모든 연 소득에 20%의 단일 세율을 부과한다.

여기서 연 소득은 조세 납부와 복지 혜택 수령 전의 소득이고, 순 혜택은 복지 혜택에서 조세납부액을 차감한 금액이다. A안은 선별적으로 저소득층에게 복지 혜택을 제공하는 안으로, 그 재원은 고소득자에게 부과되는 세금을 통해 조달된다. 소위 '선별 복지와 선별 과세'의 조합이다. 반면 B안은 모든 국민에게 연 1,000만원의 기본소득이 제공되며, 그 재원도 모든 국민에게 세금을 징수하는 보편 과세로 조달된다. K씨는 연 소득이 2,000만원이다. K씨의 경우 A안과 B안 중 어느 것을 선택하는 것이 자신에게 더 나은 복지 혜택을 받는 것일까?

<나>

 가상국가 '좋은 나라' 정부가 제안한 노인연금 50만원 인상 정책이 고령층 사이에서 분란이 되고 있다. 노인연금은 정부가 소득 하위 70% 노인에게 지급하는 돈이다. 이 제도가 도입될 당시에는 60세 이상 전체 노인에게 지급하는 안이었다. 그러나 경제 상황과 예산 등 국가 재정을 고려하여 만 60세 이상인 소득 하위 70% 노인에게 월 20만원을 지급하는 정책으로 최종 확정되었다. 이후 계속 증가하여 현재 월 40만원을 지급하고 있다. 노인연금 예산은 도입 초기와 비교하면 3배 가까이 늘어났다. 지급액을 월 50만원으로 인상하는 데는 추가 소요 재원이 상당할 것으로 추산되지만, 정부는 아직 확실한 재원 마련 대책을 내놓지는 않았다. 이런 가운데 60세 이상 고령층 인구 중 노인연금 대상자가 아닌 30%에서는 "왜 70%만 주느냐, 60세 이상 전체 노인에게 지급해야 형평에 맞는다."는 비판의 목소리가 나오고 있다.

 한편 노인연금은 '좋은 나라' 정부의 또 다른 노후 대책 연금 제도인 평생연금과 비교해도 문제가 있다. 평생연금은 젊어서 일정 기간 이상 보험료를 납부한 사람이 노후에 기본 생활 수단으로 연금을 수령하는 제도다. 이 나라에서는 저출산, 고령화 및 경기침체 상황이 심화되면서 보험료 인상, 소득대체율 인하, 연금수급 연령의 상향 조정 등 재정 안정화를 위한 평생연금 개혁 방안에 대한 논의가 활발하다. 이런 상황에서 노인연금이 50만원으로 인상되면, 평생연금 평균 금액인 60만원과 별반 차이가 없어진다. 따라서 평생연금을 받는 60세 이상 중 노인연금 대상이 아닌 이들은 "월급에서 꼬박꼬박 떼서 보험료 내고 평생연금 받는 사람이 바보가 된 것 같다."는 불만을 제기하기도 한다. 또한 평생연금을 받으면서 노인연금도 받는 고령층에서도 불만이 나온다. 노인연금의 재정 부담을 줄이기 위해 이 나라에서는 평생연금 수령액이 월 50만원 이상인 경우 노인연금액이 줄어드는 '평생연금 연계 감액 제도'를 실시하기 때문이다. 노인연금을 최대 50%까지 삭감하는 이 제도에 대해 평생연금 성실납부자에 대한 역차별이라는 비판이 제기되고 있다. 향후 평생연금 연계 감액 제도 폐지나 노인연금의 역할과 재원 마련에 대한 논의가 필요하다.

<다>

 『논어』 「계씨」에서 공자는 제자 염유(冉有)에게 말했다. "나라와 집을 소유한 자는 백성의 수가 적음을 걱정하지 말고 백성이 고르지 못함을 근심해야 하며 가난함을 근심하지 말고 편안하지 못함을 근심해야 한다. 고르게 하면 가난함이 없고 조화를 이루면 적음이 없고 편안하면 한쪽으로 치우침이 없다." 정치에서 균평(均平)과 균분(均分)의 의미를 생각하게 하는 대목이다.

 정약용은 정치의 근원을 따져 묻는 『원정(原政)』에서 치우친 붕당을 없애고 공도(公道)를 넓혀 현명하고 능력있는 자를 우대하는 정치로 바로 잡아야 한다고 주장했다. 정약용이 말한 공도는 정치의 공정한 길을 의미한다. 그렇다면 공정하다는 것은 무엇일까? 그가 제시한 국가 운영의 청사진은 『경세유표(經世遺表)』라는 유명한 책에 잘 나타난다. 정약용은 토지제도를 말할 때 균전(均田), 균산(均産)의 의미를 비판했다.

농사짓는 능력에 따라 차등적으로 토지를 운영하게 해야지 국가가 일일이 민의 살림을 똑같이 챙길 수 없다는 말이다. "먼저 백성의 살림을 엿보고 부유한 자의 것을 덜어내서 가난한 자에게 보태고자 하니 이것은 이롭지 않은 헛된 일이다." 백성이 자신의 직업을 갖고 능력에 따라 자립하게 해야지 처음부터 국가가 일률적으로 균전·균산을 추구할 수는 없다고 본 것이다. 이것은 과거의 신분제 사회, 오늘날 자본주의 사회에서 내 분수에 맞는 것이란 무엇인지 되묻게 한다. 아마도 각자의 분수, 각자의 능력에 맞게 차등적으로 대우하는 것이 유학자들이 생각한 공정의 의미였을 것이다.

〈라〉

 오는 11월 중간선거를 앞둔 조 바이든 미국 대통령이 역대 최대 규모의 학자금 대출 탕감 정책을 내놓은 가운데 미국 대학교 등록금에 대한 관심이 높다. 백악관에 따르면 미 정부는 현재 대학 재학생을 포함해 2022년 6월 30일을 기준으로 학자금 대출을 모두 상환하지 못한 국민들 중 본인의 연 소득이 12만 5,000달러[1](한화 대략 1억 6천 3백만원, 부부 합산 25만달러)보다 적은 경우 1만달러의 학자금 대출을 탕감해 주기로 했다. 탕감 금액은 저소득층을 위한 장학금을 받는 경우 2만달러로 늘어난다. 백악관은 이러한 정책이 저소득층과 중산층의 경제적 자립을 돕는 데 큰 역할을 할 것으로 보았다. 학자금 대출 문제는 미국 내에서 '시한폭탄'이나 다름없는 사회적 이슈 중 하나로 꼽힌다. 대학생의 절반이 넘는 55%가 학자금 대출을 받고 있기 때문이다. 백악관에 따르면 현재
1인당 학자금 대출 평균은 약 3만 7000달러(약 5,180만원)에 달한다. 사회생활 시작과 함께 이미 몇 천만원의 빚을 떠안고 있는 것이다. 오바마 전 대통령조차도 상원의원이 된 2004년이 돼서야 학자금 대출을 모두 갚았다고 한다. 당시 그의 나이 43세였다. 현재 미국의 연 평균 사립대 등록금은 3만 8,185달러, 공립대는 2만 2,698달러 수준이다. 대출 금액이 크다 보니 현재 학자금 대출자 5명 중 1명이 50대 이상인 것으로 알려졌다. 그만큼 갚기가 어렵다는 얘기다. 이를 바이든 대통령이 탕감해주겠다고 하니 학자금 대출을 아직 상환하지 못한 이들의 입장에서는 반가울 수 밖에 없다.
 물론 반대의견도 있다. 대학 교육으로 혜택을 받는 것은 개인인데 반해 이 비용을 나라에서 부담하는 것이 불공정할 수 있다는 것이다. 이미 대출금을 성실하게 모두 상환한 사람들이나 대학에 진학하지 않은 이들에게도 불공평할 수 있다. 또한 충분히 갚을 여력이 있는 국민들에게도 이러한 혜택을 주는 것이 정당하냐는 지적이 나온다. 벤 새스 상원의원은 "결국 바이든 대통령의 부채 탕감 계획은 블루칼라 노동자들이 화이트칼라 대학생을 위한 돈을 지원하도록 강요한다"고 비판했다. 마이클 켈리 하원의원 역시 "배관공과 목수에게 월스트리트 고문과 변호사의 빚을 대신 갚으라고 할 것인가. 불공정할 뿐 아니라 나쁜 정책"이라고 주장했다.

1) 환율을 $1=1,300원으로 계산함.

성신여자대학교
SUNGSHIN WOMEN'S UNIVERSITY

1번 답안   (반드시 해당 문제와 일치 하여야 함)

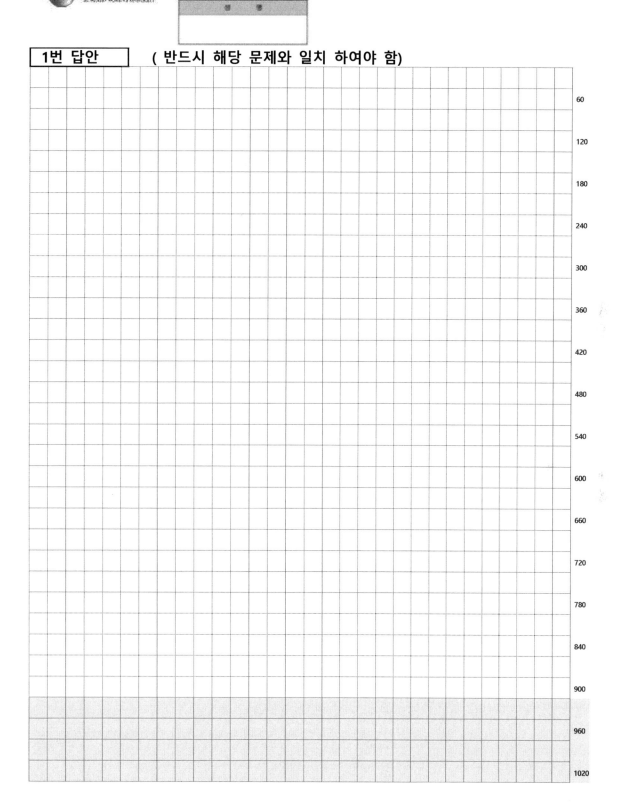

지원학부(과)	수 험 번 호	주민등록번호 앞6자리(예: 040512)

성 명

2번 답안   (반드시 해당 문제와 일치 하여야 함)

5. 2023학년도 성신여대 수시 논술 (2교시)

[문제 1]
제시문 <가> 현상이 발생한 이유를 제시문 <나>의 ㉠과 ㉡을 토대로 분석하고, 제시문 <나>에 나타난 변화가 세계 경제와 국제 정세에 미치는 영향을 제시문 <다>의 ㉢과 ㉣의 측면에서 논술하시오. (900±100자)

[문제 2]
제시문 <가>의 국제 정세 속에서 제시문 <라>의 지도처럼 반도체 동맹이 전개될 때 한국의 딜레마는 무엇인지 기술하고, 제시문 <마>의 상황에서 요구되는 한국의 대응 방향을 경제와 안보 측면에서 논술하시오. (900±100자)

> **<가>**
>
> 자원의 무기화가 가속화되면서 글로벌 기업들에는 안정적인 공급망을 구축하는 것이 최우선 과제가 되고 있다. 글로벌 공급망 재편과 관련해 가장 많이 언급되는 용어는 '온쇼어링(on-shoring)'이다. 생산기지를 자국 내에 두도록 유도하거나 혹은 자국 내 기업에 아웃소싱하는 것을 뜻한다. 기업의 생산 시설을 인건비 등이 비교적 저렴한 국가로 옮기는 '오프쇼어링(off-shoring)'과 반대되는 말이다. 보호무역주의의 강화와 함께 자주 언급됐던 '리쇼어링(re-shoring : 생산 시설을 다시 본국으로 이전하는 것)'과 비슷하지만 조금 더 포괄적인 의미로 사용된다. 이처럼 '온쇼어링' 전략이 강조되고 있는 추세지만 자국 내에만 생산 시설을 두는 것은 불가능하다. 이 때문에 그 연장선상에서 최근 자주 사용되는 용어가 '니어쇼어링(near-shoring : 본국으로의 이전이 어려울 경우 인접 국가로 생산 시설을 옮기는 것)'과 '프렌드쇼어링(friend-shoring : 동맹 국가들 간 공급망을 구축하는 것)'이다. 용어는 다양하고 복잡하지만 이들이 보여주는 공통점은 명확하다. 글로벌 기업들에게 '그저 싼' 지역이 더 이상 생산기지로서의 매력이 없다는 점이다. 재난 상황 혹은 정치적인 갈등 상황의 위험을 피하는 것이 기업들에는 가장 중요한 고려 사항이다.
>
> **<나>**
>
> 자유무역을 표방하는 ㉠**신자유주의 세계화**의 부작용을 비판하는 이들 사이에서도 상호 연결성을 통해 수많은 혜택을 맛본 인류가 과거와 같은 냉전 체제로 돌아간다는 것은 불가능하다는 인식이 지배적이었다. 지난 수십 년간 세계화를 통해 자리 잡은 고도로 복잡한 글로벌 공급망과 시장, 일상의 모습들은 우리가 생각하는 것 이상으로 견고하고, 상호 호혜적이어서 말처럼 쉽게 끊어낼 수 없다고 생각했기 때문이다. 하지만, 코로나 팬데믹은 글로벌 경제 네트워크가 마비될 수 있다는 것을 보여준 결정타가 되었다. 이에 2021년 다보스 포럼에서는 포스트 코로나 시대 이후 새로운 형태의 세계화가 필요하다는 맥락에서 '그레이트 리셋(great reset)'이 제시됐다. ㉡**팬데믹(pandemic)**을 교훈으로 삼아 지속 가능성, 회복력을 갖춘 인프라를 구축하는데 투자하여 새로운 형태의 세계화 방향을 모색하자는 것이다.

지난 30년간 우리가 경험해 왔던 신자유주의 경제 체계에 근간한 세계화의 양상은 달라지고 있다. 우크라이나 침공을 비난하며 많은 글로벌 기업들이 러시아에서 철수하는 것에 대해 영국 가디언은 '세계화의 만조(滿潮)는 이미 지났다. 이제 남은 건 물이 얼마나 많이 빠지느냐다'라고 평했다. 소비에트 연방 시절이던 1990년 미국 맥도널드의 모스크바 입점이 세계화 시대의 도래를 보여주는 대표적인 장면이었다면, 맥도널드의 러시아 시장 철수는 거대하고 급격한 탈세계화 흐름을 상징한다. 개방과 자유로운 교역, 다국적 기업으로 대표되는 세계화 패러다임은 우크라이나 전쟁 이전부터 이미 쇠퇴 중이었다. 서방국가에서는 브렉시트(영국의 EU 탈퇴)와 트럼프주의(미국 우선주의)로 대변되는 보호무역주의 기조가 고개를 들었고, 미국과 중국의 갈등은 패권 경쟁으로 번져나갔다. 이런 와중 지난 2월 러시아가 우크라이나를 무력으로 침공한 것은 세계화의 바탕이 된 국제법 존중과 상호 계약에 따른 신의 성실의 원칙이 무너졌음을 뜻한다. 무엇보다 중국이 불법을 자행한 러시아를 비난하기는 커녕 뒤에서 암묵적으로 지원하면서 신냉전 구도를 보이며 세계화는 새로운 국면을 맞고 있다.

<다>

지난 수십 년간 각국 경제는 세계화의 수혜를 크게 입었다. 중국을 비롯한 저임금 국가에 생산설비를 집중하고 공급망 생태계를 구축함으로써 생산비용을 크게 낮출 수 있었다. 기업의 매출과 이익은 획기적으로 늘었고 증시는 장기 호황을 구가했다. 기술 개발로 생산단가가 하락하면서 물가 상승도 억제됐다. 인플레이션 없는 장기 성장의 골디락스*가 펼쳐진 것이다. 그러나 미·중 무역 전쟁, COVID19 팬데믹, 러시아의 우크라이나 침공이 이어지며 개방과 자유로운 교역, 다국적 기업으로 대표되는 세계화 패러다임은 쇠퇴하고 있다. 기존 세계화의 퇴조는 막대한 비용을 수반한다. 그 중 하나가 ⓒ**인플레이션**이다. 원자재와 식량, 반도체 등의 공급망 경색과 물류대란, 신냉전 양상이 우려되는 대립 구도 속에 전 세계가 촘촘하게 연결됐던 기존의 경제 질서에 균열이 발생하고 있다. 재화와 서비스의 자유로운 흐름이 막히면 거래 비용이 증가해 가격이 오르고, 일부 국가들이 특정 상품이나 자원을 무기화할 경우 가격 상승 압력은 더욱 강해지게 된다.

러시아와 우크라이나 전쟁을 계기로 순식간에 에너지와 식량 공급, 금융 시스템의 단절을 경험한 세계 각국은 이제 더 높은 비용을 감수하더라도 안정적으로 제품을 생산·운송할 수 있도록 확실한 우방국들로 공급망을 재편하기 시작했다. 국가 안보와 직결되는 기술이나 원자재를 비우방국가에 의존할 경우 뒤따를 수 있는 위험성을 자각했기 때문이다. 투자은행 JP 모건에 의하면 애플은 올해 연말까지 전체 아이폰14 물량의 5%를 인도에서 만들고, 차츰 인도 내 생산을 늘려 2025년에는 전체 아이폰의 25%를 인도산으로 공급할 계획이다. 미·중 갈등의 심화 탓에, 생산과 판매를 중국에 절대적으로 의존해 온 애플마저 '탈 중국 노선'으로 방향을 튼 것이다. 구글 역시 스마트폰 신제품 픽셀7 물량 일부를 인도 공장에서 만들 계획으로 알려졌다. 이는 미국 중심의 서방과 그에 맞서는 중국·러시아를 두 축으로 삼는 ⓔ'**경제의 블록화**'가 진행되고 있음을 의미한다.
*골디락스: 경제가 높은 성장을 이루고 있더라도 물가 상승이 억제되는 상태

<라>

 미국 바이든 행정부는 2022년 3월 미국 주도의 반도체 공급망 4자 연합인 '칩 4(Chip4)'를 제안하며 한국의 참여를 요구했다. 아래의 지도가 보여주는 바와 같이, 팹리스(설계)의 주도권을 지니고 있는 미국과 함께 파운드리(위탁생산) 강자 대만과 메모리 강자 한국, 주요 기술 국가 중 하나인 일본이 동맹하여 반도체 경쟁력을 높이 자는 것이다. 이는 2015년 중국이 선언한 '반도체 굴기'에 대한 미국의 대응이자 반 도체 경쟁 전략이라 할 수 있다.

칩4와 중국의 지정학적 특성과 전체 반도체 생산에 기여하는 비율
(출처: 미국반도체산업협회 SIA)

 중국은 대만과 일본이 중국에 맞서 '반도체 장벽'을 세우고 있음을 비판하며, 반도체 외교는 현실적인 이해관계의 문제임을 명시하고 한국은 미국의 강압에 맞서야 한다고 주장하였다. 또한 중국은 한국 반도체의 수출액 중 60%는 홍콩을 포함한 중국이 차 지하고 있음을 강조하며, 파운드리 공장이 전무한 미국이 원천 기술 보유국이라는 이 유로 반도체 산업에서 세계화된 분업의 혜택을 누리고 있다고 지적하였다.

<마>

 2022년 5월 바이든 행정부는 중국이 법과 합의를 무시하고 국제 질서에 도전하고 있다고 지적하며 '전략적 환경'을 조성해 나갈 것이라는 대중국 전략을 발표했다. 미 국의 대중국 전략 키워드는 '투자, 공조, 경쟁'이다. 미국의 대중국 전략 선언 직전, 한국은 미국이 주도하는 인도태평양 경제프레임워크(IPEF) 가입을 공식화하였다. 무

역, 공급망, 환경, 조세 등 4대 주요 분야에 대한 투자와 파트너 국가들과의 공조를 위해 무역 규범 수립에 무게를 둔 것이다. IPEF의 쿼드(Quad) 성명이 의미하듯 세계는 미국 중심의 자유주의 가치 규범을 공유하는 공급망과 중국 중심의 사회주의 가치 규범이 중심이 되는 공급망으로 이분화되고 있다. 중국의 동아시아 안보 시스템에 대한 위협은 경제·이데올로기의 문제와 맞물려 미·중 무역갈등과 함께 확대되고 있다. 2016년 사드 배치에 대한 중국의 보복 조치와 2019년 한일 역사 갈등이 빚어낸 반도체 소재 수출 규제 조치 등을 볼 때, 경제적 상호의존은 종종 경쟁국과 상대국을 압박하는 무기로 활용된다. 한중 수교 30년이 되었지만 중국과의 신뢰 관계가 온전히 구축되었다고는 보기 힘들다. 한국의 대중국 수출품의 80%, 수입품의 64%가 중간재이므로 이에 대한 수출을 통제한다면 중국 역시 피해가 만만치 않다. 중국의 가공무역 비중이 축소하고 있다고는 하지만 부품 및 반제품을 한국과 일본으로부터 수입하여 가공 수출하는 형태는 여전히 큰 비중을 차지한다. 2021년 기준, 중국은 한국의 2대 투자대상국이고 한국은 중국의 3대 교역국이다. 한국의 산업용 원자재 수입의 중국 의존도는 G7 국가보다 높은 33.4%(2020년 기준)이다. 중국은 '한국이 미국의 제재와 대중국 수출 타격이라는 난제에서 현명한 판단을 내려야 할 것이다.'라고 평했다.

성신여자대학교
SUNGSHIN WOMEN'S UNIVERSITY

1번 답안 (반드시 해당 문제와 일치 하여야 함)

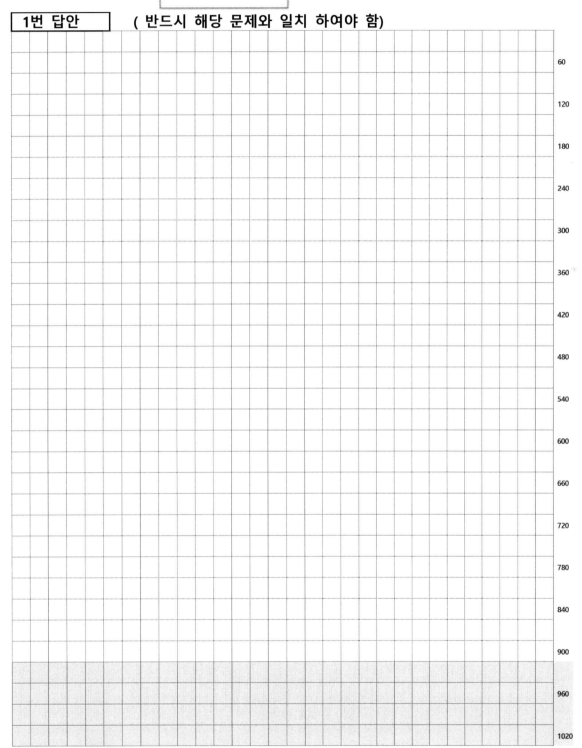

60
120
180
240
300
360
420
480
540
600
660
720
780
840
900
960
1020

지원학부(과)	수 험 번 호	주민등록번호 앞6자리(예: 040612)

성 명

2번 답안   (반드시 해당 문제와 일치 하여야 함)

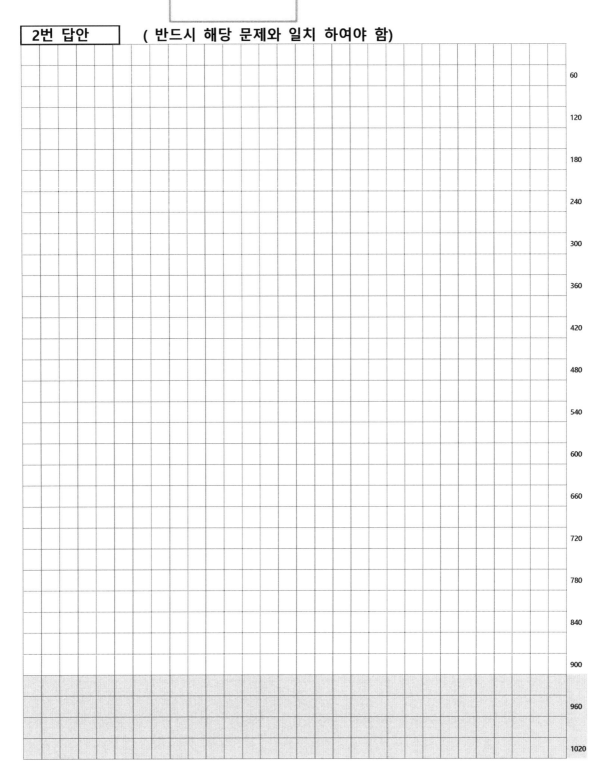

60
120
180
240
300
360
420
480
540
600
660
720
780
840
900
960
1020

6. 2023학년도 성신여대 모의 논술

[문제 1]

제시문 〈가〉를 읽고 1920년대 독일에서 초인플레이션이 발생한 원인과 그 영향을 정리하고, 아래의 글에 등장하는 영국의 실업자가 오스트리아 최고급 호텔에서 묵을 수 있었던 이유를 논술하시오. (800~1000자)

> "한 국가에 인플레이션이 3년 동안 급속히 진행되어 화폐 가치가 불안정해지면 해외 자본만 남는다. ...중략... 오스트리아는 '해외 자본의 집결지'가 되었고 숙명적인 '외국인 특수'를 누렸다. 비엔나의 모든 호텔에서 썩은 냄새가 진동했다. 돈독이 오른 자들은 호텔에 모여 칫솔에서 토지에 이르기까지 모든 물건을 닥치는 대로 사들였다. 궁지에 몰린 사람들이 자신이 소유하고 있던 재산과 골동품이 강도나 약탈을 당한 것이나 다름없는 헐값에 팔렸다는 사실을 눈치채기 전에, 이들은 돈이 될 만한 것은 전부 싹쓸이해갔다. 나는 역사의 산증인으로 확실히 말할 수 있다. 당시 가장 유명한 최고급 호텔 '드 유럽 인 잘츠부르크(de l'Europe in Salzburg)'는 영국 실업자들에게 장기 임대를 한 상태였다. 당시 영국의 실업자 지원 혜택은 상당히 좋았다. 그 돈으로 영국의 빈민가를 전전해야 했지만 오스트리아에서는 여유롭게 살 수 있었다."
>
> -슈테판 츠바이크(Stefan Zweig) 『어제의 세계』에서 발췌

[문제 2]

제시문 〈나〉에 나타난 현상의 원인을 기술하고, 그러한 현상에 대응하기 위한 한국은행과 미국 연방준비제도의 통화정책의 기대효과와 발생할 수 있는 부작용에 대해 논술하시오. (800~1000자)

> "한국은행이 또 기준금리를 올렸다. 지난해 8월 이후 네 번째 인상이다. 한은은 어제 금융통화위원회를 열고 기준금리를 연 1.25%에서 1.5%로 조정했다. 금통위원 여섯 명의 만장일치였다. 현재 한은 총재가 공석인 점을 고려하면 이례적인 행보다."
>
> 중앙일보 2022년 4월 15일
>
> 제롬 파월 Fed(미국 연방준비제도) 의장은 이날 기자회견에서 "금리를 더 빨리 올리는 것이 적절하다면 그렇게 할 것"이라고 말했다. 내년 말 금리 예측 수준은 연 2.75%다. 내년에도 서너 차례 금리를 올릴 수 있다는 뜻이다.
>
> 중앙일보 2022년 3월 18일

〈가〉

인플레이션은 물가 수준이 지속해서 상승하는 현상을 말한다. 가격은 어떤 상품을 사거나 서비스를 이용할 때 내는 돈의 액수를 말한다. 물가는 여러 상품과 서비스의 가격을 한데 모은 뒤 이 가격들의 전반적인 변화를 한눈에 볼 수 있도록 표현한 것이다. 이런 물가의 변화를 파악하기 위해 우리는 물가 지수를 활용한다. 기준이 되는 특정 시점(기준연도)의 물가를 100으로 볼 때 비교하려는 연도의 물가 수준을 지수로 나타낸 것이 물가 지수이다. 2020년 물가 지수가 105.4라는 것은 기준연도로 설정한 2015년보다 물가가 5.4% 상승했다는 뜻이다.

인플레이션이 악화되어 더 이상 수습할 수 없는 상태가 되면 초인플레이션이 발생한

다. 1920년대 초 독일에서 발생한 초인플레이션의 원인에 대한 가장 설득력 있는 설명은 제1차 세계대전의 배상금과 관련이 있다. 1차 대전에서 독일과 오스트리아는 영국과 프랑스 등 서유럽 국가들과 전쟁을 벌여 1919년 패배하였다. 승전국들은 패전국인 독일에게 전쟁 피해에 대한 보상을 위해 엄청난 규모의 배상금을 부과했다. 배상금 마련을 위해 독일 정부가 선택한 것은 정부가 채권을 발행하여 중앙은행, 즉 독일제국은행이 인수하도록 하는 것이었다. 중앙은행은 이를 인수하기 위해 마르크를 찍어냈다. 이것은 결국 통화발행량 증가(통화증발)를 통해 부족한 재정을 조달했음을 의미한다. 통화증발의 결과는 물가상승이었다. 물가의 상승이 지속될 것이라고 예상되면 악순환이 시작된다. 사람들은 물가가 상승하기 전에 미리 물건을 구입하려고 하기 때문에 물가상승은 더욱 가속화된다. 물가상승으로 실질임금이 하락한 노동자들은 임금인상을 요구하고 이것은 다시 물가상승의 원인이 된다. 시간이 지날수록 화폐의 실질 가치가 하락하기 때문에 저축의 유인이 줄어든다. 또한 채무자들은 채무의 상환을 계속 미루게 되는데, 그 이유는 물가상승 상황에서는 시간이 지날수록 채무의 실질 가치가 떨어져 상환을 미룰수록 이익이 되기 때문이다. 이런 것은 결국 투자의 위축과 기업의 부도로 이어진다.

독일에서 급속한 물가상승이 나타난 더욱 중요한 이유는 마르크화의 급격한 환율절하, 즉 환율상승이었다. 물가의 상승은 곧 화폐가치의 하락을 의미하기 때문에 외환 거래자들은 마르크화를 팔고 가치가 안정된 다른 통화를 매입하려고 한다. 그리고 독일에 들어와 있던 외국인의 예금이나 자산이 독일에서 빠져나가려고 하기 때문에 마르크화의 환율이 절하된다. 미국 달러 대비 독일 마르크화 환율은 1921년 초 60마르크 수준이었다. 그 후 인플레이션과 더불어 환율도 급격히 상승하였는데, 1923년 11월 달러 대비 환율은 무려 4조 2천억 마르크에 이르렀다. 환율의 상승은 수입물가의 상승을 초래하고 이것은 다시 인플레이션의 원인이 되었다. 즉 인플레이션은 환율절하를 가져오고, 환율절하는 수입물가상승을 통해 다시 인플레이션을 가속화했다. 전후 국토가 쪼그라든 오스트리아도 초인플레이션으로 고통받던 것은 마찬가지였다.

〈나〉

영국의 경제 주간지 이코노미스트(The Economist)는 늘어나는 수요를 공급이 따라가지 못해 가격이 상승하는 최근의 경제 상황을 '병목 경제(The bottleneck economy)'라고 표현했다. 2021년 들어 전 세계적으로 철강부터 구리, 목재, 반도체까지 원자재의 가격이 크게 상승하고 있다.

각국 정부는 코로나19 확산으로 위축된 경기를 살리기 위해 개인과 기업에 지원금을 지급하거나 대출을 지원하는 등 많은 돈을 뿌렸다. 그 결과 시중에 쓸 수 있는 돈, 통화량은 많아졌다. 또한 코로나19 백신 접종이 진행되자 경기가 회복될 것이라는 기대감이 높아지면서 경제 전반에 걸쳐 수요가 빠른 속도로 늘어났다. 사람들이 그동안 참아왔던 소비를 늘리고 있기 때문이다. 기업이 소비 부진에 대응해 줄였던 생산을 늘리기 위해서는 이전보다 많은 원자재가 필요한데, 이렇게 늘어나는 수요를 공급이 따라가지 못해 원자재 가격이 급등하고 있다. 특히 대표적인 원자재 소비국인 중국의 경기 회복에 따라 원자재 수요가 급증했다. 주요 원자재 중 하나인 구리 생산 세계 1, 2위인 칠레와 페루는 근로자들이 코로나19에 감염되어 광산 채굴이 더뎌져 구리 공급이 더욱 어려워진 상황이다.

원자재를 실어 나르는 선박의 운임도 빠르게 상승하고 있다. 코로나19 확산으로 세계 경제가 위축되면서 세계를 오가는 물자의 양이 줄어들자 해운업계도 운항 스케줄을 줄였는데 최근 들어 수요가 급증하고 있기 때문이다. 운송할 배를 구하기 어려워 항공 운송을 찾는 기업이 늘면서 항공 운임도 오르고 있다. 2021년 5월 10일 항공 화물 운송 지수(TAC Index)는 역대 최고치를 기록했다. 이렇게 원자재 가격과 함께 운임까지 상승하게 되면 생산 비용이 올라가기 때문에 생산자는 이윤을 남기기 위해 가격을 올릴 수 있다. 이처럼 수요는 급증하는데 공급이 부족한 상황이 이어지자 인플레이션(Inflation)에 대한 우려의 목소리가 나오고 있다.

인플레이션을 측정하는 대표적인 지수인 소비자 물가 지수(Consumer Price Index: CPI)가 실제로 어떻게 변화했는지 살펴보자. 소비자 물가 지수는 일반 가구에서 구입하는 상품과 서비스의 가격 변동을 평균적으로 나타낸 물가 지표이다. 이 지수를 계산하기 위해 조사하는 품목은 상황에 따라 조정된다. 그래프를 보면 한국과 미국, 유로존 모두 소비자 물가 지수 상승률이 지난해 같은 시기에 비해 높아지고 있다. 특히 미국의 22년 2월 CPI 상승률(전년 동월 대비)이 7.9%로 예상을 크게 웃돌며 14년 만에 최고치를 기록하자 인플레이션에 대한 우려의 목소리가 더 높아졌다. 그리고 이러한 인플레이션은 최근 발생한 러시아-우크라이나 전쟁으로 인한 에너지, 곡물 가격 등의 급등으로 인해 점점 심화되고 있다.

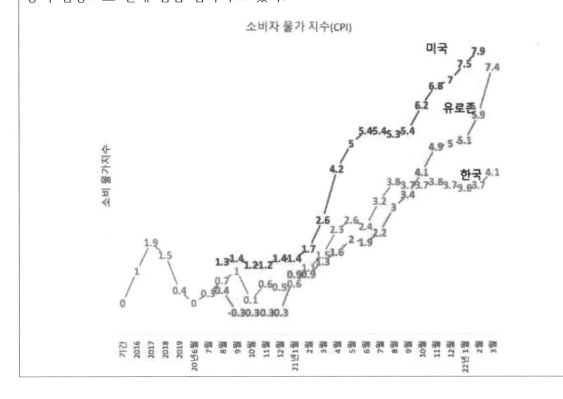

소비자 물가 지수(CPI)

지원학부(과)

수 험 번 호

주민등록번호 앞6자리(예 040512)

성신여자대학교
SUNGSHIN WOMEN'S UNIVERSITY

성   명

1번 답안   (반드시 해당 문제와 일치 하여야 함)

			60
			120
			180
			240
			300
			360
			420
			480
			540
			600
			660
			720
			780
			840
			900
			960
			1020

2번 답안   (반드시 해당 문제와 일치 하여야 함)

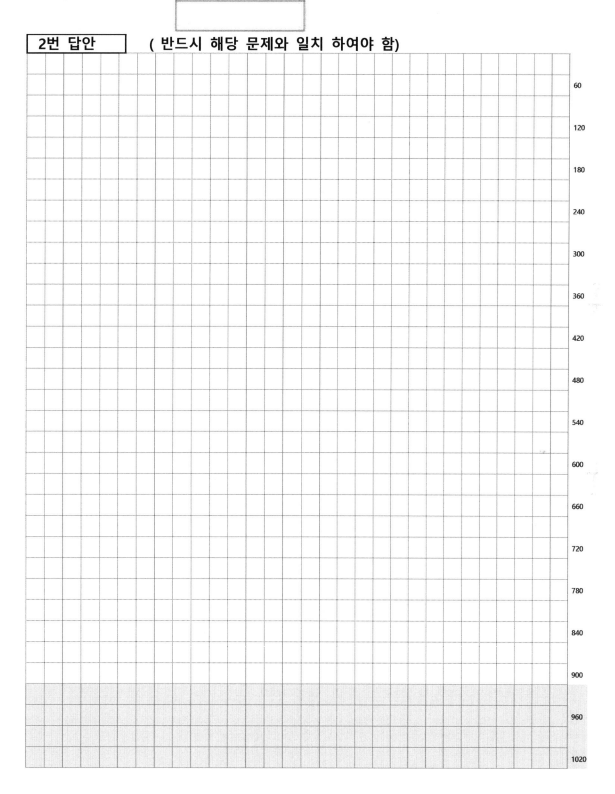

7. 2022학년도 성신여대 수시 논술 (1교시)

[문제 1] 코로나19와 같은 전 지구적 문제를 해결하기 위한 방안으로 <가>에 제시된 방식을 설명하고, <나>에 제시된 사례들을 참고하여 <가> 방식의 문제점을 서술하시오. 그리고 이상의 내용을 바탕으로 코로나19 위기 대처 방안을 제시하시오. (900±100자)

[문제 2] <다>와 <라>의 관점이 <마>가 설명하고 있는 탄소중립을 위한 기후협약 이행에 어떠한 영향을 미칠 수 있는지 서술하시오. 그리고 <다>와 <라>의 관점을 종합하여 <마>에 제시된 문제 상황에 대한 해결방안을 제시하시오. (900±100자)

<가>

코로나19는 지금까지 경험하지 못한 새로운 감염병으로, 그것을 정의하고 대응 전략을 마련하는 데만 2년의 기간이 소요됐다. 세계보건기구(WHO)는 코로나 감염병이 지속해서 강하게 지역사회로 전파되는 상황을 팬데믹으로 정의하였고, 그 특성상 한 국가에서만 코로나 감염병 종식이 성립될 수 없는 점에 주목하면서 감염 전파에 대한 즉각적 대응을 촉구하였다. 코로나19 감염 전파가 각 국가와 국제사회를 긴장시키는 가운데 사망자 감소와 의료체계의 유지를 위해 최선의 방안으로 현재 백신 접종에 의존하고 있다. 백신 생산 기술을 보유하고 있는 제약기업과 국가들은 세계적 질병 확산의 공포를 잠식시키고 정상 생활로 복귀하기 위해 총력을 기울였다. 세계 여러 백신 생산 기업들은 경쟁적으로 백신을 개발하였고, 생산 제품의 보급 확대에 힘썼다.

국제적 제약기업과 자본은 보건의료 자원 중 약품과 백신에 이윤창출과 자본축적을 목표로 개입하게 되는데, 코로나19에 대한 백신과 치료제의 개발에도 기업의 동기와 이해관계가 작동되기는 마찬가지일 것이다. 코로나19 상황에서 백신과 치료제의 개발은 각 기업의 이해에 기초하여 동기가 부여되었기에 이는 현실주의적 국제 관계를 반영하고 있다. 코로나19에 대한 백신 생산과 보급의 경쟁 관계에서 우위를 확보한 제약기업과 국가들은 거대한 이윤의 창출이라는 시장의 보상은 물론, 세계적 문제 해결에 공헌했다는 이미지 향상으로 포스트 코로나의 '뉴노멀' 시대에도 사회 경제적 지위를 선점하게 될 것이다. 코로나19에서 경쟁을 통한 생산성과 시장 확보를 이룬 기업이나 국가는 포스트 코로나의 의료협력 체계와 보건 분야에서도 중심적 역할을 할 것으로 전망된다. 경쟁을 통한 능력발휘를 극대화함으로써 생산력 발전의 효율성을 보여준 사례라 할 수 있다.

<나>

세계의 언론은 코로나19라는 전 세계적인 전투에서 국가들이 협력보다는 경쟁에 치중하는 것에 대해 우려를 표하고 있다. 코로나19 확산 초기, 이탈리아에서 확진자가 급증했을 때 의료장비와 물품 지원을 요청하였으나 독일과 프랑스 등 인접 국가들은 관련 물품 수출을 금지한 바 있다. 마찬가지로 스페인 지자체가 보건기금으로 터키에서 구매하고자 했던 인공호흡기도 터키 정부가 자국 내 의료품 공급 부족을 이유로 물품선적을 보류하면서 난항을 겪기도 하였다.

코로나19 관련 물품 확보를 위한 국가 간 경쟁은 백신 확보 경쟁으로 이어지고 있다. 코로나19 백신 관련 집계를 총괄하고 있는 듀크대학교 연구팀에 따르면, 사용이 승인된 백신은 선구매 계약을 통해 선진국을 중심으로 공급되고 있으며, 선진국은 자국 우선주의로 인구수의 배가 넘는 물량을 입도선매하였다. 또한, 백신 확보를 위한 국가 간 경쟁체제 속에서 백신을 생산하는 국가들은 충분한 국내 백신 생산 물량을 확보할 때까지 국외로 공급하는 일정을 미루고 수출 물량을 축소하기도 하였다. 유럽연합은 2021년 1월부터 유럽 내에서 생산한 코로나19 백신을 유럽 외 국가로 수출하려면 유럽연합 회원국과 집행위원회의 허가를 받도록 하였다. 이에 선진국과 후진국 간의 백신 양극화 현상이 심화되고 있으며, 아프리카와 중앙아시아에 있는 국가의 상당수는 2021년 말이 되어도 전체 인구의 20%만 코로나 백신을 접종하는 데 그칠 수 있다는 전망이 나오고 있다.

코로나19 유행의 장기화로 백신 수요가 늘어나고, 선진국이 부스터 샷 접종을 위해 대규모 추가 계약을 체결하면서 대형 제약회사인 화이자와 모더나는 코로나19 백신 가격을 각각 25%, 10% 이상 인상한 것으로 알려졌다. 이를 두고 코로나 상황을 이용해 과도한 이익을 취하려 한다는 비판도 제기되고 있다. 실제로 두 회사는 코로나19 백신으로 이미 상당한 이윤을 창출하고 있으며 화이자는 2021년 코로나19 백신 매출액 전망치를 기존 260억 달러에서 335억 달러로 28.8% 상향 조정하였고 모더나 매출은 300억 달러에 육박할 것으로 보인다.

국가 간 백신 확보 경쟁이 치열해지는 가운데, 인도와 남아프리카공화국 등 57개 정부는 세계무역기구(WTO)에 코로나19 백신 특허권을 한시적으로 중단해 달라고 요청하기도 하였다. 그러나 일부 선진국의 반대로 합의에 이르지 못하고 있다. 고든 브라운 전 영국 총리, 프랑수아 올랑드 전 프랑스 대통령, 미하일 고르바초프 전 소련 대통령을 비롯해 전직 국가 정상과 노벨상 수상자 등 175명은 조 바이든 미국 대통령 앞으로 공개편지를 보내 코로나19 백신 특허권을 풀어 달라고 요청하였다.

국가 간 백신 보급 불균형으로 인한 문제는 특정 국가에만 국한되지 않고 주변 국가와 전세계에 영향을 미친다. 삶의 공간이 국경을 넘어 전 지구로 확대되면서 국가 간 상호 의존성이 증가하고 있다. 한 지역에서 유행하는 감염병은 언제든 다른 지역으로 퍼질 수 있으며 코로나 변이출현을 가능하게 하여 코로나 위기상황 통제를 더욱 어렵게 만들 수 있다. 국가 간 백신 불균형은 단지 일부 국가만이 아닌 전 세계적으로 경제에 영향을 미친다. 외국인 노동력에 대한 의존도가 높은 선진국 노동시장에 공급 부족이 심화될 수 있어 후진국의 경제회복 지연은 선진국에도 손실을 줄 수 있다.

<다>
경쟁은 자연선택과 진화의 원동력이다. 진화의 역사에서 모든 개체는 생존과 번식에 필요한 자원을 확보하기 위하여 끊임없이 경쟁한다. 필요한 가용자원은 언제나 부족하며 자원 확보를 위한 경쟁은 필연적이다. 적자생존의 법칙이 지배하는 세계에서 경

쟁만이 최적자를 가려내는 유일한 방도이고 경쟁의 이유는 자원의 희소성이다. 경쟁의 승리는 필요한 자원의 획득을 보장하며 경쟁의 과정은 개인 및 집단의 능력을 최적화한다. 개인은 부와 명성을 얻을 수 있고, 국가는 국제 관계에서 우위를 차지하고 영토를 확장할 수 있으며 기업은 시장점유율을 높이고 더 많은 이익을 창출할 수 있다.

하이에크(Friedrich A. Hayek)에 따르면, 시장에서 경쟁은 무엇보다 시장 참여자가 거래상대방을 찾을 수 있는 한, 자유롭게 생산할 수 있고 어떤 것이든 어떤 가격으로든 자유롭게 팔고 살 수 있어야 한다. 시장의 진입이 모든 사람에게 동일한 조건으로 자유롭게 개방되어야 한다. 시장 진입을 제한하려는 힘이나 통제하려는 시도를 법이 용인하지 않아야 하는 것 또한 중요하다. 특정 상품에 대한 가격이나 물량을 통제하게 되면, 개인이 각자의 노력을 유효하게 조정하는 경쟁능력은 박탈된다. 경쟁은 선택에 따르는 비용과 편익의 전망을 개인이 스스로 결정할 기회를 각자에게 부여하는 것이다. 경쟁이 선호되는 핵심적인 이유는 의식적인 사회적 통제가 필요하지 않은 우월한 방법이기 때문이다. 경쟁은 가장 효율적이며, 권력의 강제적이고 자의적인 간섭 없이도 우리의 행위를 서로 조정할 수 있는 유일한 방법이다.

따라서 경쟁을 성공적으로 활용하기 위해서는 경제활동에 대한 사회적 조치로써 강제적 통제를 배제해야 한다. 다만 경쟁의 작동을 도울 수 있는 일정 정도의 간섭은 허용하며, 심지어 특정한 종류의 정부 활동은 필요한 것으로 인정하기도 한다. 그러나 경제적 자유주의 관점에 서는 경쟁이 개인의 개별적 노력을 조정하는 최선의 방법이므로, 경쟁보다 더 열등한 방법이 경쟁을 대체하는 것에 반대한다.

<라>

협력이 발생하는 것은 쉬운 일이 아니다. 남에게 협력하면 자신이 손해를 보는 상황일 경우, 협력하고자 하는 개체는 시간이 갈수록 점차 줄어들게 된다. 협력하는 것이 손해가 아닐 때조차, 배신의 유혹 때문에 협력이 깨지는 경우가 허다하다. 그런데도 사람들은 자연에 적응하기 위하여 또는 희소한 자원을 획득하기 위하여 서로 협력하기도 한다. 자원이 희소하더라도 개체들이 협력을 통해 비제로섬 게임이 가능하다는 것을 알게 되면 상호협력이 가능해진다.

진화의 역사에서 개체들은 협력과 배반의 전략을 다양하게 구사하며 생존과 번식을 꾀한다. 상대가 배반할 때도 계속 협력하기만 하는 전략은 얻는 게 가장 적다. 반대로 반복적으로 배반만 하는 전략을 사용할 경우, 결국 상대의 배반을 유도하게 됨으로써 상호배반이라는 결과를 초래한다. 엑설로드(Robert Axelrod)에 따르면, 가장 성과가 좋은 전략은 '협력을 기본으로 하되 배반하면 갚아 주는' 방식이다. 이 전략은 이용당하지도 않고 그렇다고 배반의 메아리를 일으키지도 않으면서 협력의 이익을 누릴 수 있게 해준다. 이 전략의 성공은 신사적이고, 보복적이고, 관대하고, 명료한 특성들이 조합된 결과이다. 결코 먼저 배신하지 않는 신사적 태도는 쓸데없이 문제에 휘말리지 않게 하며, 보복적이기에 상대의 배반이 지속되지 못하게 만든다. 상대가 배신한 후에도 협력하기를 계속하는 관대함은 상호협력을 회복하는 데 도움이 되며, 협력에는 협력으로 배반에는 배반으로 대처하는 명료성은 상대를 쉽게 이해시켜 장기적 협력을 끌어낸다.

연구 공동체 수유너머는 협력의 전략이 주는 혜택을 누리기 위해 지켜야 할 태도를 다음과 같이 설명한다. 첫 번째는 질투심을 버려야 한다. 성공은 상대를 이기는 것에서 오지 않는다. 상대를 먼저 배반하지 않는다면 장기적 관점에서 승자가 되어 큰 성과를 얻을 수 있다. 두 번째는 보복할 때 확실히 보복해야 한다. 협력을 끌어내기 위해서는 협력하지 않을 때 단호히 대가를 치르게 해야만, 상대가 협력이 더 나은 선택임을 인지하여 협력에 임하게 된다. 마지막으로 영악하게 굴지 말아야 한다. 때로는 손실이 발생할지라도 늘 단순하고 일관된 태도를 취하는 것이 중요하다. 전략적 상황에서 협력을 끌어내려면 상대에게 내 행동 원칙을 명확하게 알려 줄 필요가 있다. 즉 나는 기본적으로 협력하지만, 당신이 나를 배신하면 나도 보복할 것임을 명확히 알려야 한다.

<마>

기후변화로 인한 환경 문제는 세계적 이상고온 및 폭우 등 자연재해의 증가와 이에 따른 심각한 사회 경제적 피해로 가시화되고 있다. 기후변화의 대응 방안으로 채택되었던 교토의정서는 일부 선진국의 참여 거부, 후진국의 감축 의무 부재, 그리고 이행 기간의 제한 등으로 큰 실효를 보지 못했다. 이에 대한 한계를 극복하기 위해 보다 적극적인 기후변화 대응 체제로서 2016년 파리기후 협정을 체결하였다. 파리협정은 선진국과 후진국이 동참하여 온실가스를 줄이고 탄소중립*을 달성하여 지구 온난화를 방지하자는 공동의 노력에 대한 합의이다. 기후변화에 관한 정부 간 패널(IPCC)은 지구 온도 상승을 섭씨 1.5도 이내로 억제하려면 2050년까지 탄소중립 상태를 이루어야 한다는 내용의 특별 보고서를 발간하였다. 이후 탄소중립에 대한 논의가 확산되었고, 기후위기 대응행동의 중요성이 강조되면서 26차 기후변화협약 당사국 총회(COP26)에서는 파리협약을 성공적으로 이행시키기 위해 각국의 온실가스 배출량 감축 목표와 대책을 마련하기로 협의하였다. 이를 이행하기 위한 우선 과제로서 선진국에게 후진국과 기후변화 취약국에 재정적 지원을 확대할 것을 요청하였다. 영국은 2030년까지 탄소배출량을 68%, 프랑스는 55%, 한국은 24.4% 감축하겠다고 하는 등 각국은 탄소배출량 감축에 대한 의지를 표명하였다. 이란, 터키, 이라크, 예멘, 남수단, 에리트레아, 리비아 등 7개 국가를 제외하고 대부분 국가가 파리기후협정에 가입하여 공동의 노력을 이루고자 하였다. 그렇지만 파리협정 후 5년이 된 현재까지도 큰 성과를 체감하기 힘들고 현재의 추세로라면 오히려 지구 온도가 세기말에는 섭씨 3도까지도 상승할 수 있다는 우려가 제기되고 있다.

*온실가스 배출량과 흡수량의 순 합계가 0이 되는 상태

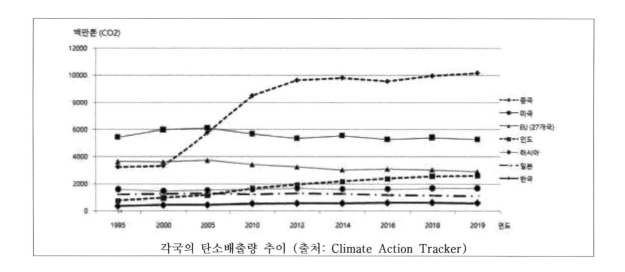

각국의 탄소배출량 추이 (출처: Climate Action Tracker)

1번 답안   (반드시 해당 문제와 일치 하여야 함)

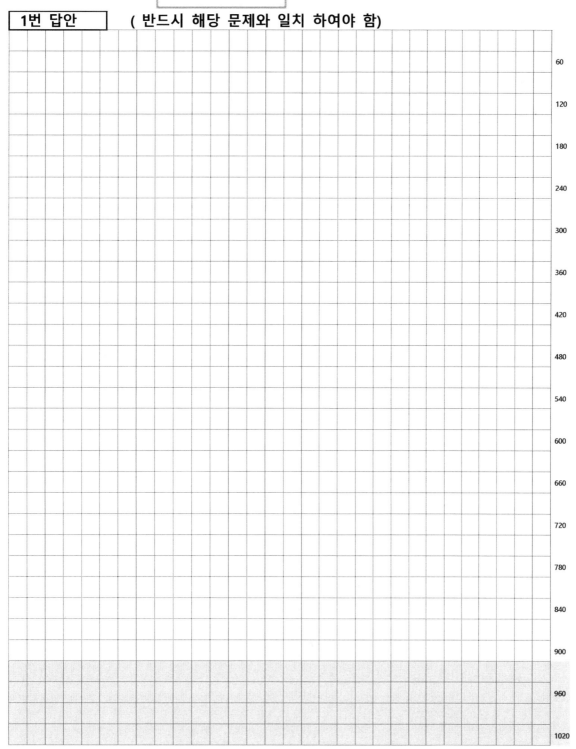

2번 답안　　　(반드시 해당 문제와 일치 하여야 함)

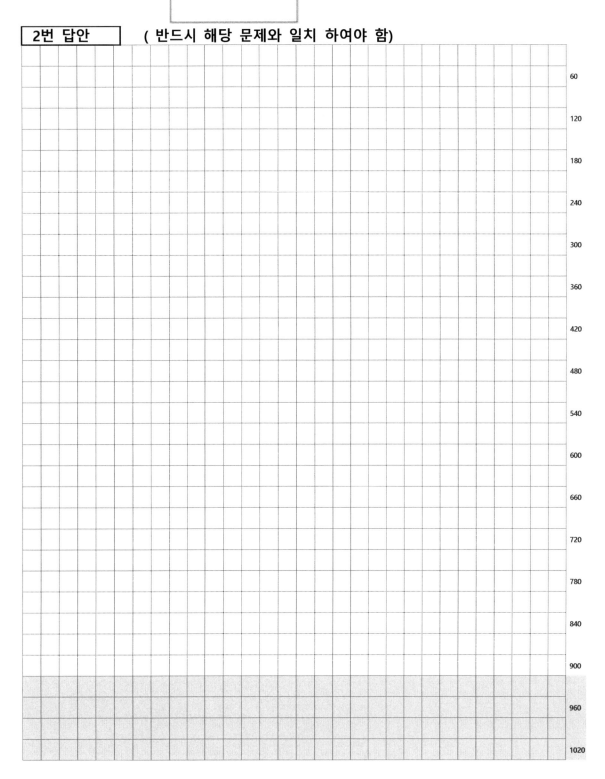

8. 2022학년도 성신여대 수시 논술 (2교시)

[문제 1]

제시문 <가>에 나타난 알고리즘 판단에 대한 두 가지 입장을 ㉠과 ㉡을 중심으로 설명하고, 제시문 <나>에 언급된 플랫폼 기업에 대한 정부 차원 규제의 정도와 타당성에 대해서 아래 (A)와 (B) 중 하나의 관점을 선택하여 자신의 생각을 논하시오. (900±100자)

(A) 경쟁은 알려진 방법 중 가장 효율적일 뿐만 아니라 권력의 강제적이고 자의적인 간섭 없이도 우리의 행위가 조정될 수 있는 유일한 방법이기 때문에 우월한 방법이라고 할 수 있다. 경쟁은 의식적인 사회적 통제를 필요로 하지 않는다. 어떤 일이 그 일과 연관된 불리한 점과 위험 요소를 상쇄하고도 남을 만큼 전망이 있는지 아닌지를 결정하는 것은 각자에게 달려 있다. 경제적 자유는 국가 권력을 억제하는 기능을 행사하고 이로써 정치적 자유와 정신적 자유를 보호하는 역할을 한다.

-하이에크, 『노예의 길』

(B) 천부적으로 보다 유리한 처지에 있는 자는 아주 불리한 처지에 있는 자의 여건을 향상하여 준다는 조건하에서만 그들의 행운에 따른 이익을 누릴 수 있다. 최대 수혜자 갑은 최소 수혜자 을과 도덕적 비대칭성의 관계에 있다. 재능, 지위와 같은 도덕적으로 임의적인 요소들의 작용으로 최대 수혜자가 된 갑은 최소 수혜자인 을의 삶을 개선하기 위한 일정한 희생을 감내해야 한다. 민주주의적 평등은 '공정한 기회 균등의 원칙'과 '차등의 원칙'의 결합에 의해 이루어진다. 이 원칙은 사회 기본 구조의 사회적·경제적 불평등을 판정할 특정한 입장을 선정하려는 것이다.

-롤스, 『정의론』

[문제 2]

제시문 <다>의 내용을 요약하고, 그 내용을 토대로 사례 (A)에서 언급된 승차 공유 서비스 중개업체와 사례 (B)에서 언급된 승차 공유 서비스 종사자의 공유경제의 현실에 대한 상반되는 인식을 논하시오. (900±100자)

(A) 승차 공유 서비스 중개업체인 우버(Uber) 웹사이트에서 '드라이버로 가입하기' 버튼을 클릭하면 "드라이버 파트너용 사이트(https://partners.uber.com/drive)"로 연결된다. 이 사이트에서는 "우버는 바로 당신과 같은 파트너가 필요합니다. 우버의 기사가 되어 독립계약자로 수입을 올리세요. 승객을 태우고 시내 곳곳을 누비며 일주일 단위로 보수를 받으세요. 원하는 시간에만 운전하면서 돈을 버는 사장님이 되세요."와 같은 내용으로 이익 잠재력을 강조한다. 기사를 모집하기 위한 옥외 광고판에서는 신규 기사에게 보장되는 주간 수입(weekly income)을 강조하고 "정해진 근무 시간도, 상사도, 제약도 없이" 일할 수 있다면서, 밝은 미래를 희망한다면 "우리를 헤드 라이트라고 생각하세요"라고 홍보한다.

(B) 28세 바란은 대학에 다니면서 주 4일을 우버(Uber) 기사로 일하고 있다. 뉴욕에서 앱 기반 기사로 일하려면 택시 기사와 동일한 보험과 면허가 요구되기 때문에 보통 수천 달러의 초기 비용이 들고, 그 밖에도 연간 지출이 적지 않다. 바란은 그런

부담을 지지 않으려고 주당 400달러에 우버가 인증하고 보험에 가입된 면허 차량을 렌트해서 몰고 있다. "일주일에 최소 사흘은 일해야 차량 유지비를 댈 수 있어요. 이틀은 렌트비를 벌고 하루는 유류비 같은 부대비용을 버는 거죠. 그 후에 버는 돈은 다 기사의 몫입니다." 아침 8시부터 밤 8시까지 꼬박 12시간을 일하는 바란은 하루 250달러를 버는 게 목표다. 이 250달러는 우버 수수료와 통행료를 제하지 않은 금액이다. 그의 주간 수입 내역을 보니 800달러를 넘기지 못한 주가 대부분이었다. "난 파트너(partner)가 아니에요. 독립계약자죠. '파트너'는 뭔가를 공유한다는 뜻이잖아요. 그런데 난 모든 비용을 내가 다 감당하거든요. 저쪽에서 나를 자르려면 언제든 자를 수 있어요. 내가 파트너였다면 안 될 말이죠." 공유경제는 탄력성을 보장하고 일과 생활의 균형을 맞춰주겠다고 한다. 하지만 바란은 주 4일밖에 일하지 않는다고 해도 하루 12시간씩 일한다. 긱 경제(gig economy)는 탄력성을 말하지만, 직장에 매이지는 않아도 일에는 점점 더 강하게 매이고 있다. 품을 팔아 돈을 벌려면 항시 대기 중이어야 하기 때문이다.

<가>

　AI는 잘 짜인 알고리즘이다. 알고리즘은 어떤 문제를 푸는 방법과 관련이 있는데, 어떤 문제든 가장 정확하고 빠른 해법이 존재하기 마련이다. 알고리즘은 다양한 해법 중 가성비가 가장 높은 최적의 경로를 찾도록 설계돼 있다. 페이스북이 자신의 취향에 맞는 글을 추천하고, 넷플릭스가 감쪽같이 내가 좋아할 만한 영화들의 리스트를 보여주는 것도 알고리즘 때문이다. 소비자 입장에선 이런 추천 서비스가 선택과 결정의 피로도를 덜어주고, 기업 입장에선 매출 신장을 위한 최적의 콘텐츠를 제공해줄 수 있으므로 서로 윈윈(win-win)이 될 수 있다.

　이러한 알고리즘은 다양한 요소를 고려하는 동시에 보편적 합리성을 지향하므로 그것이 가져오는 결과를 무시해서는 안 된다는 의견이 존재한다. 대니얼 카너먼(Daniel Kahneman)은 이성적인 심사숙고보다는 감정이나 몇몇 소수의 단서에 근거하여 결론을 내리는 인간의 직관적 판단은 ㉠ <u>**편향(bias)**</u>에 의한 오류 가능성이 크기 때문에 복잡한 환경에서 정확한 판단을 내려야 할 때는 인간의 직관보다는 알고리즘에 의한 판단이 더 적합하다고 주장한다. 인간은 자신의 주변 환경에서 얻을 수 있는 정보에 제한이 있으며, 비록 모든 정보를 얻었다 하더라도 모든 경우의 수를 비교·분석하여 최적의 결론을 도출하기는 쉽지 않기 때문이다. 그럼에도 불구하고 여전히 인간은 알고리즘에 대한 어떠한 거부감을 가지고 있는데, 이는 많은 사람이 합성이나 인위적인 것보다 자연스러운 것을 더욱 선호하는 경향성에 근거한다. 그러나 알고리즘이 일상생활에 끼치는 역할이 앞으로 계속 확대되면 알고리즘에 대한 적대감은 약해질 가능성이 크다. 이제 대중은 스포츠 세계에서 선수들의 연봉과 같은 결정을 내릴 때 알고리즘 공식에 의한 판단이 인간의 판단보다 뛰어날 수 있다는 걸 알게 되었다. 알고리즘에 의지하는 일이 늘어나면 결과의 패턴을 처음 직면할 때 느끼는 불편함도 줄어들 것이며, 직관적 사고에 의해 발생하는 편향

역시 줄어들 것이라고 카너먼은 주장한다.

　그러나 AI의 알고리즘으로 인한 문제점을 지적하는 목소리도 존재한다. 사용자들의 기본 패턴을 좇아 콘텐츠를 추천하기 때문에 평소 자신이 가진 취향과 생각만 더욱 강화된다는 것이다. 이는 장기적으로 개인의 주관과 인식을 왜곡할 수 있으며, 사고의 다양성을 훼손하는 결과를 초래하여 더욱 ⓛ**강화된 편향**을 야기할 수 있다. 이렇게 되면 자기 생각만 옳다고 여기며 자신과 다른 생각은 받아들여지지 않을 수 있다. 이러한 경향이 극대화되면 올바른 사고의 발전을 가로막고 결국엔 나와 타인을 분리하여 상대방을 '적'으로 간주하게 될 수도 있다. 이처럼 알고리즘의 목적지향성과 편향성에 대한 우려가 커지는 이유는 AI도 결국 데이터 수집의 대상인 인간의 취향과 경향성에 맞춰가는 알고리즘을 갖고 있기 때문이다. 이러한 상황이 지속되면 일종의 '정보 편식'이 심해질 수밖에 없으며, 사회 구성원 간의 분열을 촉진하고 사회 통합을 저해하는 결과를 초래할 수 있다.

<나>

　빅데이터, 기계학습 등 알고리즘 기반 서비스를 제공하는 현재의 온라인 플랫폼에 대해 공정경쟁 이슈가 꾸준히 제기되고 있다. 향후 더욱 강화된 인공지능 알고리즘을 통해 더 많은 서비스가 제공되는 사회에서는 이러한 공정경쟁 이슈가 더욱 심화될 가능성이 크다. 인공지능 알고리즘을 개발하고 학습할 때 데이터, 비용 그리고 시간이 많이 요구되기 때문에, 경쟁력을 가지고 인공지능 기술을 활용할 수 있는 기업들은 제한적일 것이라고 예상된다. 특히, 많은 이용자와 자본을 보유한 기존의 온라인 플랫폼 기업들이 시장에서 유리한 위치를 점하고 유지해 나갈 가능성이 크다. 인공지능 알고리즘과 관련된 대표적인 공정경쟁 이슈는 알고리즘 담합과 알고리즘 소비자 문제이다. 알고리즘 담합의 경우에는 기본적으로 경쟁 기업들의 가격 정보를 파악하여 자동으로 가격을 변경함으로써 경쟁 기업보다 가격을 높게 유지하는 것으로 이는 알고리즘이 인위적인 목적성 성향을 가지고 있는 것으로 볼 수 있다. 알고리즘 소비자 문제는 인공지능 알고리즘이 발달하고 소비자의 소비에 점점 더 깊이 관여하게 될수록 인공지능이 소비자에 미치는 영향은 더 커질 것이고, 결과적으로 소비자는 알고리즘에 편향적으로 의존하게 될 것이다. 소비자들은 검색엔진 결과에서 상위에 있는 결과들 위주로 보기 때문에 상위에 위치하지 못하는 결과들은 소비자들로부터 거의 선택 받지 못하게 된다. 그리고 인공지능 알고리즘을 통한 자동검색 서비스, 자동 배정 및 자동 배차 서비스 등은 보통 자사 플랫폼에 최선의 이익을 가져다 주는 형태로 설계되어 있다. 만약 인공지능 기반 플랫폼이 자사의 이윤을 추구하기 위해 소비자에게 차선의 혹은 편향된 결과를 제공할 경우 이는 결국 소비자들의 합리적 선택을 침해할 가능성이 크다.

　반면 성공적인 온라인 플랫폼은 AI 알고리즘을 활용한 혁신 서비스를 중심으로 이용자와 이용자를 연결하고, 이용자와 데이터를 바탕으로 더 많은 사업자와 서비스로 영향력을 확대하고 있다. 특히 혁신적 플랫폼은 참여자들 사이에서 시간, 노동, 자원 등을 공유하여, 사회 전체적인 효용을 증진하는 방향으로 가고 있다. 더불어 이용자는 다양한 경로로 각각 얻어야 했을 재화나 용역을 하나의 플랫폼을 통해 간편하게 제공받을 수 있게 되었다. 뿐만 아니라 플랫폼을 이용하여 사업을 영위하는 사업자는 플랫폼을 통해 무수히 많은 이용자에게 접근할 수 있게 되어 기존보다 수익성이 증가하고 있다. 특히 혁신을 바탕으로 한 플랫폼은 기존 시장에 데이터와 알고리즘을 접목함으로써 시장을 더욱 스마트하게 발전시킬 뿐만 아니라 혁신을 바탕으로 새로운 시장을 창출하는 역할도 하고 있다. 예를 들어 미국의 한 부동산 플랫폼 기업의 경우 자동화된 AI 알고리즘을 통해 집을 팔고자 하는 사람에게 적정 수준의 가격을 제시하고, 이후 집주인이 이에 동의하면, 실사를 거쳐 약 48시간 만에 그 집을 매입한다. 이 기업은 AI 기술을 통해 최대한 정확히 시세를 추정하여 매입함으로써, 고객이 주택 매매과정에서 느끼는 스트레스를 획기적으로 감소시켜 주고 있다. 일부 인터넷전문은행의 경우 공인인증서 혹은 보안카드로 대표되는 복잡한 인증을 없애고 패턴, 숫자, 생체 인증을 활용하여 '금융소비자의 편익' 측면에서 진전을 이루어 내어, 기존 은행의 복잡성에 지친 고객에게 긍정적인 반응을 이끌어 냈다.

<다>

 언어에는 우리의 사고를 지배하는 힘이 있다. 우리는 자유롭게 사유한다고 생각하지만, 사실은 언어라는 필터를 통해서 세상을 본다. 1948년 영국의 유명한 풍자소설가 조지 오웰(George Orwell)은 소설 <1984>를 탈고했을 때 '더블스피크(Doublespeak, 이중어)'라는 새로운 말이 1984년경이면 유행하게 되리라고 예언했다. 그의 소설 <1984>에서 모든 단어의 원뜻은 개인들의 독자적 사고능력을 뿌리째 없애기 위해 왜곡되었고, 언어는 사람들의 사고를 제한하고 통제하는 중요한 수단으로 사용되었다. 더블스피크는 분명하지 않고 모호하며 의도적으로 계산된 언어 사용을 의미한다. 언어가 사람의 심리 상태에 미치는 충격을 줄이고자 의도적으로 둘러대거나 포장한 말이 더블스피크이다. 이러한 언어 정책의 사용으로 청자는 원말이 내포한 부정적 의미를 인식하지 못하고 화자의 의도대로 왜곡된 의미로 그 대상을 받아들이게 된다. 미국 영어 교사 협회인 NCTE(National Council of Teachers of English)에서는 1974년부터 매해 'The Doublespeak Award'란 상을 수여함으로써 더블스피크의 사용을 풍자하고 있다. 1974년 캄보디아 주재 미 공군 공보담당관 데이비드 오퍼 대령은 기자들에게 "여러분은 계속 '폭격'이라고 쓰는데 폭격이 아니라 '공중지원'입니다. (You always write it's bombing, bombing, bombing. It's not bombing! It's air support!)"라고 함으로써 최초의 Doublespeak Award 수상자가 되었다. 1983년에는 미국 대통령 로널드 레이건이 인류를 전멸시킬 수도 있는 MX 대륙간 탄도 미사일(intercontinental ballistic missile)을 '평화수호자(Peacekeeper)'라고 불러서 이 상의 수상자가 되었다. 더블스피크는 이처럼 의도적인 언어 왜곡을 의미한다. '인력재배치, 전직 기회, 포괄적 효용성 제고' 등은 무엇을 의미하는 말일까? 이 말들은 기업들이 '해고'를 대신하여 쓰는 더블스피크이다.

언어가 가지는 힘은 노동(labor)에 다른 이름표를 붙여 근로기준법과 같은 규제에 대한 대응을 용이하게 하는 데에도 활용될 수 있다. 플랫폼 기반 공유경제와 같은 긱 경제(gig economy)는 기존의 규제를 회피하기 위해서 자신만의 고유한 어휘를 만들어 낸다. 우리는 더는 '노동'이라고 말하지 않는다. '영시간 계약(Zero-hours contract)', '긱(gig)', '인간지 능작업(HIT, Human Intelligence Task)', '과업(task)', 그리고 '호의(favor)'라는 열정적인 용어가 노동시장의 전통적인 어휘를 대체하기 시작했다. 영시간 계약은 근로시간을 정해 두지 않고 사용자의 필요에 따라 작업자(worker)가 호출에 응해 근로를 제공하고 그 시간만 큼의 임금을 받는 것을 내용으로 하는 계약을 의미한다. 긱(gig)은 공연참여 (engagement)에서 유래한 말로, 원래 연주자들이 협연하는 공연을 뜻하는 말이었지만, 소위 플랫폼 경제에서는 일회성 작업이나 거래를 의미하게 되었다. 인간지능작업은 아마존(Amazon)에서 제공하는 MTurk라는 온라인 서비스에 요청자(requester)가 과업(task)을 올리면 작업자(worker)가 수행하는 작업을 일컫는다. 미국의 여러 배달 플랫폼 기업들은 자신의 배달 서비스를 '호의(favor)'라고 부르고, 배달하는 '주자(runner)'가 '영웅(Hero)'이 되도록 유도한다. 여러 플랫폼 기업들은 경제적 사업가가 아니라 지역 공동체의 구성원이라고 포장하고, 노동자에게는 프리랜서 사업가 혹은 독립계약자(independent contractor)라는 이름표를 붙였다. 긱 경제에서 일하는 것은 단순히 노동이 아니라 혁신과 기업가정신을 길러주는 행위로 포장하고 있다.

지원학부(과)

수 험 번 호

주민등록번호 앞6자리(예 040512)

성   명

1번 답안   (반드시 해당 문제와 일치 하여야 함)

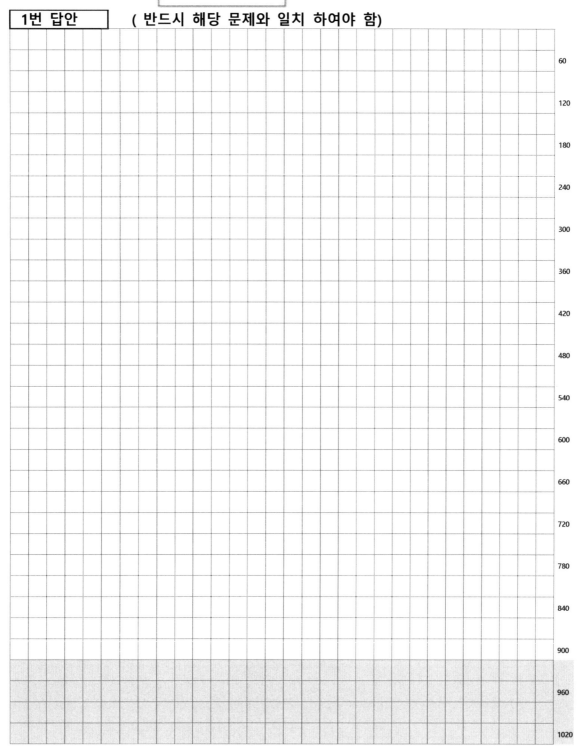

60

120

180

240

300

360

420

480

540

600

660

720

780

840

900

960

1020

지원학부(과)		수 험 번 호			주민등록번호 앞6자리(예 040612)					

성 명

2번 답안   (반드시 해당 문제와 일치 하여야 함)

60

120

180

240

300

360

420

480

540

600

660

720

780

840

900

960

1020

9. 2022학년도 성신여대 모의 논술

[문제 1]

제시문 〈가〉의 관점에서 제시문 〈나〉와 〈다〉의 사례가 정의(justice)에 부합하는지 각각 근거를 들어 논술하시오. (800~1,000자)

[문제 2]

제시문 〈라〉에 제시된 '비례 원리'와 '보편 원리'의 차이점을 기술하고, 두 원리 중 하나의 원리를 자신의 관점으로 채택하여 아래의 두 제도에 대한 자신의 견해를 논술하시오. (800~1,000자)

> - 1970년대 유럽에서 처음 등장한 여성할당제는 주로 정치 분야에서 시작되었으며, 2000년대 들어서 기업 등으로 확대되기 시작하였다. 2003년 노르웨이는 기업의 여성 임원 비율을 최소 40%로 의무화하는 여성임원할당제를 도입하였고, 2004년 핀란드는 국영기업의 여성 임원 비율을 40%로 할당하는 법안을 도입하였다.
> - 공무원 시험 할당제 중 지방인재채용목표제는 국가공무원 공개경쟁채용시험에서 서울특별시를 제외한 지방에 있는 학교의 재학생이나 졸업생이 선발예정인원의 20% 이상 합격할 수 있도록 선발예정인원을 초과하여 지방인재를 합격시키는 제도이다.

> **〈가〉**
>
> 공정으로서의 정의에 있어서 평등한 원초적 입장이란 전통적인 사회계약론에서의 자연상태에 해당한다. 그것은 일정한 정의관에 이르기 위해 규정된 순수한 가상적 상황으로 이해되어야 한다. 이 원초적 입장은 역사상에 실재했던 상태로 생각해서는 안 되고, 문화적 원시 상태로 생각해서도 안 된다. 이러한 상황이 갖는 본질적 특성에는 아무도 자신의 사회적 지위나 계층상의 위치를 모르며, 누구도 자기가 어떠한 소질이나 능력, 지능, 체력 등을 천부적으로 타고났는지를 모른다는 점이 포함된다. 심지어 당사자들은 자신의 가치관이나 특수한 심리적 성향까지도 모른다고 가정된다. 정의의 원칙들은 무지의 베일(veil of ignorance) 속에서 선택된다.
>
> 그 결과, 원칙들을 선택함에 있어서 아무도 타고난 우연의 결과나 사회적 여건의 우연성으로 인해 유리하거나 불리해지지 않게 된다. 모든 사람이 유사한 상황에 처하게 되어 아무도 자신의 특정 조건에 유리하도록 원칙들을 구상할 수 없다. 따라서 여기서 합의하거나 약정한 정의의 원칙들은 결과적으로 공정한 것이 된다. 각자가 상호 동등한 관계에 있게 되는 원초적 입장의 여건들이 주어질 경우, 이 최초의 상황은 도덕적 인격이자 합리적 존재인 개인들 간에 공정하다고 할 수 있다. 간단히 말해, 원초적 입장이란 적절한 최초의 상태라고 할 수 있으며, 따라서 거기에서 도달하게 된 기본적 합의는 공정한 것이다. 정의의 원칙은 이 공정한 최초의 상황에서 합의된 것이다. 공정으로서의 정의관을 전개하는 데 있어서 중요한 과제 중의 하나는 원초적 입장에서 채택될 정의의 원칙을 결정하는 일이다.
>
> 그런데 우선 정의의 원칙으로 공리의 원칙이 채택될 것 같지는 않다. 원초적 입장의 사람들은 스스로를 평등한 존재로서 생각하기 때문에 타인의 더 큰 이득을 위해 자신

에게 큰 희생을 요구할 가능성이 있는 공리의 원칙에는 동의하지 않을 것이다. 합리적 인간은 자기의 기본 권리와 이해관계에 미칠 결과를 고려하기 때문에 단지 전체이득의 산술적 총량을 극대화한다는 이유만으로 어떤 기본 구조를 받아들이지는 않을 것이다. 그래서 공리의 원칙은 상호 이익을 위해 모인 평등한 사람들의 사회적 협동체라는 관념과 양립 불가능하다.

그와는 달리 원초적 입장에서 사람들은 다음과 같은 두 개의 상이한 원칙을 채택할 것이다. 첫째 원칙은 기본적인 권리와 의무의 할당에 있어 평등을 요구하는 원칙이며, 둘째 원칙은 사회적·경제적 불평등, 예를 들면 재산과 권력의 불평등을 허용하되 그것이 모든 사람, 그 중에서도 특히 사회의 최소 수혜자에게 그 불평등을 보상할 만한 이득을 가져오는 경우에만 정당한 것임을 내세우는 원칙이다. 다른 사람의 번영을 위해서 일부가 손해를 입는다는 것은 편리한 것일지는 모르나 정의로운 것은 아니다. 그러나 소수자가 더 큰 이득을 취함으로 인해서 불운한 자의 처지가 더 향상된다면 그것은 부정의한 것이 아니다. 모든 사람의 복지는 사회 협동체에 의존하는 까닭에, 이득의 분배는 가장 곤란한 처지에 있는 사람들을 포함해서 그 사회에 가담한 모든 사람의 협력을 이끌어 내도록 이루어져야 한다.

〈나〉

SAT처럼 표준화된 시험은 그 자체로 능력주의를 의미하며, 따라서 경제적으로 가장 어려운 배경을 가진 학생이라 할지라도 지적인 장래성을 보일 수 있는 시스템이라고 여겨진다. 하지만 오늘날 SAT는 수학능력이나 사회경제적 배경과 무관하게 타고난 지능을 측정하는 시험이 아닌 것으로 밝혀지고 있다. 반대로 SAT 점수는 응시자 집안의 부와 매우 연관도가 높다. 소득 사다리의 단이 하나씩 높아질수록, SAT 평균점수는 올라간다. 가장 경쟁이 치열한 대학을 노리는 학생들의 점수를 보면 이 격차가 특히 크다. 부잣집(연소득 20만 달러 이상)출신으로 1,600점 만점에 1,400점 이상 기록할 가능성은 다섯에 하나다. 가난한 집(연소득 2만 달러 이하) 출신은 그 가능성이 오십에 하나다. 또한 고득점자들은 그 부모가 대학 학위 소지자인 경우에 압도적으로 많다.

〈다〉

백인여성 셰릴 홉우드는 혼자 힘으로 어렵사리 캘리포니아 주립대를 졸업한 뒤 텍사스 법학전문대학원(로스쿨)에 지원했지만 불합격했다. 자신보다 대학 성적은 물론 입학시험 점수도 낮은 흑인과 멕시코계가 합격한 걸 안 홉우드는 부당하다며 연방법원에 소송을 제기했다. 자신은 부유하지 못한 홀어머니 밑에서 자랐는데 백인이라는 이유로 탈락했다는 주장이었다. 홉우드는 자기의 성적과 자격요건이 합격하기에 충분했다는 점도 강조했다. 학교 측은 전혀 문제없다고 반박했다. 텍사스 법조계에 인종적·민족적 다양성을 높인다는 학교의 사명에 따라 사회적 소수자에게 가산점을 주는 소수집단 우대책을 시행하고 있으며, 이 기준으로 입학한 학생 거의 모두 무사히 졸업해 변호사 시험에 합격한다는 것이다.

〈라〉

공정이란 무엇인가에 대한 담론에서 작동하는 원리는 크게 비례 원리와 보편 원리로 나눌 수 있다. 비례 원리에 의하면, 각자가 노력하여 기여한 것에 비례하여 분배받는 것이 공정한 것이다. 보편 원리에 의하면, 인간이라면 누구나 보편적으로 평등한 권리를 보장받는 것이 공정한 것이다. 이처럼 비례 원리와 보편 원리는 공정을 판단하는 중요한 잣대이지만, 서로 충돌하는 경우가 많다. 어느 잣대를 쓰느냐에 따라 같은 사안을 놓고도 공정에 대한 판단이 달라진다. 농어촌 학생 특별전형은 공정한가? 대학에서 장학금을 줄 때 고려해야 할 것은 학생의 성적인가 가정형편인가? 무엇이 공정한지 판단하는 질문을 받을 때마다 우리는 직관적으로 비례 원리와 보편 원리 중 하나를 잣대로 쓴다.

비례 원리는 재능과 운의 불균등 분포라는 구조적 조건에 대체로 눈을 감는 경향이 있다. 가정 형편이 어려워 학비를 벌기 어렵다는 조건도, 여성이 사회에서 겪는 유무형의 차별과 배제도, 소수 인종이 만나는 보이지 않는 장벽도, 같은 일을 하면서도 신분이 비정규직이어서 겪는 부당함도, 극단적 비례 원리의 세계에서는 고려되지 않는다. 미국의 보수주의자들은 보편적 권리보다 "뿌린 대로 거둔다"는 비례 원리에 훨씬 충실하고, 그것이 곧 공정의 본질이라고 믿는다. 미국 보수주의 풀뿌리 운동을 상징하는 '티파티(Tea Party)'는 서브프라임 모기지 사태로 촉발된 글로벌 금융위기와 구제금융이 한창이던 2009년 창설되었는데, CNBC 기자 릭 샌텔리는 무리한 대출로 주택을 산 사람들을 정부가 구제해줘서는 안 되며, 당장 목이 말라도 참고 물을 소중히 지켜온 사람들에게 보상이 돌아가야 한다고 강변했다.

반면, 보편 원리는 진보주의자에게 지지를 받는 경향이 크다. 비례 원리를 밀고 나가다 보면 심대한 불평등도 용인하는 결론이 나올 수 있기 때문이다. 또한 위험을 회피하고 고통에 민감한 인간의 성향은 보편 원리에 대한 지지로 이어지기 쉽다. 비례 원리가 작동하는 불평등한 사회에서 언제라도 나 자신이 최소 수혜자의 상태로 떨어질 수 있다는 위험은 능력과 성과주의 기반 사회에서의 잠재적 기회보다 크고 민감하게 다가오기 때문이다. 인간이 쾌락보다 고통에 민감한 것과 같은 맥락이다. 이 위험을 회피하려면 보편 원리를 지지하고 더 평등한 사회를 추구해야 한다. 조너선 하이트는 공정성 연구에서, 비례 원리가 인간의 공정에 대한 직관적 태도를 강력하게 불러일으킨다고 주장하지만, 그렇다고 보편 원리가 허위의식이라고 보지도 않았다. 평등을 중시하는 태도 역시 인간의 강력한 본성이며, 이러한 본성은 권력자나 특권층의 압제를 거부하는 대중들의 태도로부터 싹텄다고 주장한다.

1번 답안   (반드시 해당 문제와 일치 하여야 함)

	60
	120
	180
	240
	300
	360
	420
	480
	540
	600
	660
	720
	780
	840
	900
	960
	1020

성신여자대학교
SUNGSHIN WOMEN'S UNIVERSITY

2번 답안   (반드시 해당 문제와 일치 하여야 함)

	60
	120
	180
	240
	300
	360
	420
	480
	540
	600
	660
	720
	780
	840
	900
	960
	1020

10. 2021학년도 성신여대 수시 논술 (1교시)

[문제 1]

\<가> 현상을 \<나>, \<다>의 관점에서 평가하고, 각 평가를 비판적으로 검토한 후, \<가> 문제에 대해 자신이 생각하는 바람직한 처방을 논술하시오. (900±100자)

[문제 2]

\<라>와 \<마>는 서로 상반된 주장을 하면서 각각 세 가지 근거를 밝히고 있다. 두 제시문 중 하나를 선택해 그 속에 포함된 주장과 세 근거를 요약하고, 그 근거 중 두 가지를 비판한 다음, 그 비판에 근거해 캘리포니아주 다음 제도에 대해 자신의 견해를 논술하시오. (900±100자)

> 2020년 6월 25일, 캘리포니아주 대기환경청은 친환경트럭 의무 판매 제도를 도입하였다. 2024년부터는 차량 타입에 따라 5~9%, 2030년에는 30~50%, 2045년에는 100% 친환경차 판매가 의무화된다. 의무 판매 대상이 되는 트럭은 3.8톤 이상의 중대형 상용차로 픽업트럭 등 경트럭은 해당되지 않는다.

\<가>

노벨상 수상자인 파울 크뤼천은 2000년 'Global Change Newsletter'에 기고한 '인류세'라는 제목의 글에서 '지금 지구'는 더 이상 홀로세가 아니고, '인류세'라는 새 지질연대를 시작하고 있다고 주장했다.* 지질연대 구분은 화산폭발, 판구조 운동, 소행성 충돌 등 지구 안팎의 대규모 물리적 운동에 의해 각 지층의 화석을 이루는 생물종이 급격히 달라질 때 이루어진다. 크뤼천의 주장은 "인류의 진화 과정에서 비롯된 인간 활동의 영역은 대단히 왕성하게 확대되어 지구 환경과 시스템을 교란하기에 이르렀고, 초자연의 거대한 힘과 겨룰 정도가 되었다."는 것을 뜻한다.

인류세의 징조는 다양하다. 2019년 말, 호주 빅토리아주 남동쪽 밀라쿠타를 방문했던 리타 가족은 서쪽에서부터 산불이 번져온다는 뉴스를 접하고 안전한 곳으로 대피했다. 아침이 되어도 재가 태양을 가리고 있어 여전히 어두운 밤과 같았다. 사이렌과 자동차 경적음에 죽음의 공포를 느낀 리타 가족은 바닷가로 대피했고, 사흘이 지나서야 해군에 의해 구조되었다. 2019년 9월 남동부 뉴사우스웨일스주에서 산발적으로 시작된 이 산불은 2020년 5월까지 이어져 한국의 63%나 되는 면적을 전소시켰고, 야생의 캥거루와 코알라 등은 멸종을 걱정할 만큼 불에 타죽었다.

아메리카대륙과 아시아대륙에서도 올해 유사한 이상 기후 현상이 나타났다. 미국 전국합동화재센터가 집계한 2020년 대형 산불은 85건이었고, 기상학자들은 페루 앞바다의 해수온이 낮아지면서 평년보다 따뜻한 고기압이 발달했고 이에 따른 건조현상이 화재를 부추긴 것이라 진단했다. 중국 후베이성 우한에서는 올해 여름 양쯔강 물이 불어나 700년 역사의 사원 '관인거'가 물에 잠겼다. 6월부터 폭우가 내려 최소 141명이 숨지거나 실종됐으며 3,873만 명의 이재민이 발생했다. 중국 남부 지역에서 한 달 넘게 폭우가 이어지자 안후이성 당국은 불어난 물을 방류하기 위해 추허강 댐을 폭파

했다. 지구온난화와 무분별한 토지매립으로 인한 인재라는 지적이다. 코로나19로 지구상 경제활동이 주춤한 가운데도 이례적인 이상 기후 현상은 여전히 목격되고 있다.

* 45억년 지구 역사는 지층의 현저한 변화를 기준으로 시생대, 원생대, 고생대, 중생대, 신생대로 구분되며, 각 대(era)는 다시 여러 기 (period)로 나뉜다. 예를 들어 중생대는 트라이어스기, 쥐라기, 백악기로, 신생대 제3기와 제4기로 나뉜다. 지금은 신생대 제4기에 속하는데, 이는 다시 플라이스토세와 홀로세의 두 세(epoch)로 나뉜다. 신생대 제4기에 네 번의 빙기가 있었는데, 마지막 빙하기가 끝나고 온난해진 약 만 년간의 시기가 현재의 홀로세이다.

\<나\>

인류세라는 새로운 지질 시대는 산업화에서 초래되었고 때로는 재앙으로 여겨지기도 하지만 비관론에 빠질 필요는 없다. 파괴적 능력이 커진 만큼 재앙을 예견하고 대처하는 인간의 능력도 신장되기 때문이다. 역사가 인류의 적응성을 입증하며, 인류세는 우리가 극복해야 할 또 다른 도전 과제일 뿐이다. 위험의 양상이 복잡하고, 범위가 전지구적이라 하더라도 지구가 인간의 지식과 기술로 통제될 수 있는 시스템이라는 점에서 달라질 것은 없다. 인류세에 출현하는 새로운 양상의 위기는 인류의 독창성과 기술 능력을 증명하는 기회가 될 것이며, 인류세는 인류를 도약하게 하는 위대한 지질연대가 될 것이다. 정보의 신속한 소통과 공유가 급격히 확대되면서 세계 도처의 기상 이변을 더욱 자주 목도하게 되는 것도 당연한 일이다. 역사를 보라. 인간은 극적으로 자연체계를 변화시켜왔다. 하지만 지구는 더욱 생산적으로 변모했고 인류를 더 잘 부양할 수 있게 되었다. 지금까지 이러한 역학이 근본적으로 변화되었다는 증거는 거의 없다. 위기를 이윤 창출의 기회로 삼는 자본의 속성과 민첩성은 신산업 투자와 신기술 개발에도 동일하게 적용된다는 점을 잊어서는 안 될 것이다. 환경 문제에 대응하여 수소연료차량 개발 등 녹색산업혁명은 경제성을 획득하며 더욱 가속화될 것이고, 전지구적 위기가 가시화될수록 지속가능성을 담보하는 지구공학적 방책도 다채롭게 제안될 것이다. 더구나 인류세의 인간은 향상된 지적 능력뿐만 아니라 향상된 신체적 능력을 갖춘 트랜스휴먼, 포스트휴먼일 수도 있음을 기억해야 한다. 인류세의 자연은 홀로세의 자연이 아니라고 말하는 만큼 인류세의 인간은 홀로세의 인간이 아니라고 말할 수 있다. 기술의 활용은 무한하며, 많은 부분 우리의 상상을 초월한다.

\<다\>

인류세라는 새로운 지질 시대는 단순히 생태계의 변형이 아니라 지구시스템의 질적 변화를 함축한다. 인류세는 지구시스템 전반의 기능에 생긴 '균열'을 설명하고, 패러다임의 전환을 역설하기 위해 만들어진 개념이다. 인류세는 1945년 제2차 세계대전이 끝나고 세계적 경제 성장, 자원 이용, 쓰레기양과 관련한 모든 수치가 급격하게 상승하면서 시작되었다고 보는 것이 합당하다. 더불어 대기 중의 이산화탄소 농도도 '거대한 가속의 시대'라 불리는 이 시대에 급증했다. 이제 우리는 지금과는 다른 유형의 지구, 인간과 인간의 기술이 과거와 비교해 무력해질 수밖에 없는 지구와 대면하게 될 것이다. 근대 초기 자연은 '극도로 괴롭힘으로써 비밀을 밝혀내 인간이 통제해야 할' 대상으로 여겨지다가, 최근에는 '종말의 위기'로부터 우리가 '구조해야 할' 대상으로 이해되어 왔다. 자연이 우리를 위해 복무하거나 희생한다는 이러한 관점은 인류세에서는 더 이상 통하지 않는다. 이제 자연을 표현하는 낱말은 '깨어난 거인', '반격하고 복수하는' 가이아, '죽음의 소용돌이'로 변모하고 있다. 자연은 더 이상 침묵 속에서 시름하는, 수동적이고 파괴되기 쉬운 대상이 아니다. 어머니 지구가 두 팔을 벌린다면, 우리를 안으려는 것이 아니라 으스러뜨리기 위해서다. 우리의 목표는 '자연을 구하는' 것이 아니라 우리 자신에게서 그리고 자연으로부터 우리를 구하는 것이 되어야 한다. 우리는 지구에 대한 지배권을 가지고 있지 않으며 지구시스템을 기술을 통해 통제하려는 것은 어리석은 시도이다. 우리가 지구시스템에 초래한 혼란 중 일부는 되돌릴 수 없으며 그로 인한 영향은 수천 년간 지속될 것이다. 인류세에서 우리가 고민할 문제는 인간에서 비롯된 급격한 변화의 속도를 늦추는 방법, 피할 수 없는 것들에 적응하는 방법, 장기간에 걸쳐 지구시스템에 가해지는 피해를 개선하는 방법이 되어야 한다.

<라>

 오늘날 우리는 '무엇을 얼마나, 어떻게, 누구를 위하여 생산할 것인가?'라는 기본적인 경제문제 외에 '언제 생산할 것인가?'라는 세대간 자원 분배의 형평성 문제에도 주목할 필요가 있다. 한스 요나스는 "네 행위의 결과가 미래에 지구상에서 인간이 살아갈 수 있는 가능성을 파괴하지 않도록 행위하라."라는 새로운 생태학적 정언명법을 제시하면서 자연과 미래세대에 대한 책임을 강조하였다. 우리는 우리 행위가 아직 태어나지 않은 먼 미래세대에 미치게 될 결과까지도 예견하여 사전적으로 책임을 져야 한다.

 현세대의 잘못으로 미래세대가 고통스럽거나 불행해질 수도 있다는 '공포'의 원칙은 새삼스러운 것이 아니다. 아이를 원하지만 자신의 유전적 질환 때문에 평생 고통 속에서 살아갈 아이가 태어날 것이 확실히 예견된다고 해보자. 아직 태어나지도 않았지만 그 아이의 삶에 사전적 책임감을 갖고 아이를 갖지 않는 것을 우리는 도덕적으로 바람직한 행위로 여긴다. 현세대가 미래세대의 존재를 보장하고 적어도 불행한 삶을 살지 않도록 책임과 의무를 다하는 것은 우리의 도덕감과도 부합한다.

 현세대에게 요구되는 책임은 단순히 상호적 권리와 의무로 모두 설명될 수 없다. 미래세대에 대한 현세대의 책임은 자녀에 대한 부모의 책임과 동일선상에서 이해되어야 마땅하다. 부모는 자식과 손자세대와 정서적 유대를 맺고, 때로는 희생을 마다하지 않으면서까지 돌봄과 배려를 실천하며 이를 인간다운 삶의 기초로 삼고 있다. 인류의 일원으로서 우리에게는 세대간의 정서적 유대를 미래세대로까지 확장시킬 의무가 있으며 그들의 삶의 질을 배려하는 돌봄의 윤리가 필수적이다. 현세대의 미래세대에 대한 책임은 비호혜적이고 절대적일 수 밖에 없다.

 에드먼드 버크에 따르면 국가 사회는 과거, 현재, 그리고 아직 태어나지 않은 먼 미래 세대 사이의 도덕적 연대이다. 국가 사회는 여러 세대에 걸쳐 자손의 안녕과 복지를 위해 노력해온 역사적, 초세대적 공동체이므로 자기 세대만의 관점으로 자원분배의 형평성을 바라보는 것은 편협한 시각이다. 자연자원을 공유하는 인류 안에는 미래세대도 전부 포함되어야 한다. 미래세대가 그 후손세대를 위해 공동체의 역사와 전통을 계승할 수 있도록 우리는 미래세대가 필요한 물적·인적자원 및 자연환경을 조성해줄 의무가 있다.

<마>

아직 태어나지 않은 먼 미래세대에까지 책임과 의무를 다하는 것은 인류애의 확장을 증명하는 것으로 인간 도덕 능력의 위대함과 숭고함을 보여주는 것 같다. 하지만 이러한 생각은 현세대와 미래세대간의 관계에 대한 단순한 생각에 기인하며, 현재 세대에게 지나친 부담을 떠안길 뿐만 아니라, 비효율성을 조장한다.

흔히 지구상에 존재하는 지하자원을 우리 세대가 너무 많이 써버리면 안 되는 이유로 다음 세대가 고스란히 그 피해를 입는다는 점을 든다. 그렇지만 자원부족에 시달리는 미래세대의 입장에서 보면 우리의 자원 정책이 그들에게 피해를 주었다고 보기 어렵다. 우리가 어떤 결정을 하느냐에 따라 우리의 미래세대가 달라지기 때문이다. 만약 우리가 자원을 아끼며 불편을 감수할 경우 달라진 삶에서 우리는 다른 사람을 만나 다른 자식을 낳았을 것이고 따라서 그들은 태어나지도 않았을 것이다. 미래세대에 대한 책임의 문제는 간단하게 계산되는 문제가 아니다.

미래세대에 대한 의무는 또한 현재 세대에게 지나친 부담으로 이어질 수밖에 없다. 행복하게 아이를 키울 여건을 갖춘 어떤 부유한 가정의 화목한 부부가 있다고 해보자. 그럴 경우 그 부부는 원치 않더라도 아이를 낳아야 한다. 미래세대인 아이의 행복을 지켜줄 의무가 부과되기 때문이다. 더구나 이러한 불합리한 요구는 가까운 미래에서 먼 미래까지, 큰 결과에서 작은 결과까지 다방면에서 빗발칠 것이다. 무엇보다도 문제는 미래세대에 대한 의무가 현재의 불편을 감수하는 데 그치지 않고 부조리하고 불평등한 현실에 눈감게 한다는 데 있다. 예를 들면 환경에 해를 끼치는 상품을 사지 않는 선진국의 윤리적 소비는 친환경적 생산으로 인한 비용 증가로 이어지며 결국 제 3세계 빈곤층의 삶을 더욱 궁핍하게 만든다. 미래세대에 대한 책임은 고스란히 현재 세대의 가장 열악한 계층으로 전이될 뿐이다.

우리가 살펴야 할 미래세대는 곧 태어날 뱃속의 아이까지로 충분하다. 진화는 인간에게 매우 제한된 도덕적 사유 능력만을 허락했다는 것을 냉정하게 인정하고 우리는 출발해야 한다. 지나친 도덕적 요구는 오히려 비효율적인 이타적 행동만을 낳을 뿐이다. 우리 인간에게는 착한 일을 한 번 하고 나면 '도덕적 허가 효과'로 선한 행동을 덜 실천하려는 심리적 성향이 있다고 한다. 효과가 불투명한 먼 미래의 의무를 수행하느라 어린 세대에게 당장 혜택을 주는 올바른 행동들을 놓쳐서는 안 될 것이다.

지원학부(과)		수 험 번 호					주민등록번호 앞6자리(예: 040512)					

성 명

성신여자대학교
SUNGSHIN WOMEN'S UNIVERSITY

1번 답안   (반드시 해당 문제와 일치 하여야 함)

60
120
180
240
300
360
420
480
540
600
660
720
780
840
900
960
1020

지원학부(과)		수 험 번 호					주민등록번호 앞6자리(예:040512)					

성   명

2번 답안　　(반드시 해당 문제와 일치 하여야 함)

11. 2021학년도 성신여대 수시 논술 (2교시)

[문제 1]
제시문 <가>에서 EU의 '그린 뉴딜(Green New Deal)' 정책의 주요 특징을 찾아 기술하고, EU의 정책과 제시문 <나>의 정보를 활용하여 한국 정부의 그린 뉴딜 정책이 갖는 주요 특징을 기술하시오. 그리고 이상의 내용을 바탕으로 제시문 <가>에 소개된 한국 정부의 그린 뉴딜 정책에 대해 찬성 또는 반대의 입장에서 논하시오. (900±100자)

[문제 2]
제시문 <다>의 두 가지 관점 중 하나를 선택하여 제시문 <라>에 기술된 미국의 사례에 대한 원인을 진단하고, 다른 하나의 관점에서 기후변화 문제를 해결하기 위한 국제 사회의 대처 방안을 논하시오. (900±100자)

<가>

최근 들어 세계 각국은 기후변화에 대처하는 동시에 지속가능한 경제 구조로의 전환을 위한 '그린 뉴딜(Green New Deal)' 정책 수립에 돌입하였다. 그린 뉴딜 정책은 지난 2019년 12월, 우르줄라 폰 데어 라이엔 (Ursula von der Leyen) EU 집행위원장이 유럽을 탄소중립 대륙으로 만들겠다는 전략을 새로운 경제 성장의 동력으로 삼겠다고 천명하면서부터 촉발되었다. EU는 그린 뉴딜을 통해 2050년까지 유럽의 탄소 순수 배출량을 0으로 만드는 것을 목표로, 탄소 사용량 규제를 강화하고 새로운 환경 정책을 도입할 것을 예고했다. 새롭게 발표된 환경 정책 중 하나는 온실가스 배출량이 많은 국가의 수입품에 세금을 추가로 부과하는 '탄소 국경세'다. 탄소 국경세의 도입은 세계 각국에 탄소 배출 감소를 권고하고, 탄소 저감에 많은 비용을 투자해 가격 경쟁력이 뒤처지는 EU 국가의 기업을 보호하기 위한 조치로 풀이된다. 환경보호가 경제적 이익으로 직결되는 정책이 예고된 만큼, 한국을 비롯하여 EU와 무역 협정을 맺은 국가들은 탄소 배출을 감축하기 위해 적극적인 정책을 수립하고 시행해야 하는 상황에 놓이게 되었다.

이러한 국제적 흐름에 발맞추어 최근 한국 정부도 기후변화에 대응하고 지속가능한 경제 체제를 구축하기 위하여 한국판 '그린 뉴딜' 정책을 발표하였다. 이를 통해 한국 정부는 현재 전력 생산의 상당 부분을 차지하고 있는 화력과 원자력의 비중을 줄이고 신재생에너지 비중을 높임으로써, 발전 포트폴리오를 재조정하고 전력 소비의 효율을 높이는 작업을 중장기적으로 추진하기로 했다. 지금까지 정부는 '원자력 제로'를 목표로 신규 원전 건설계획의 백지화, 노후 원전의 수명연장 중단, 월성1호기 폐쇄, 신고리 5·6호기 공사 중단 등의 정책을 적극적으로 추진해 왔다. 이번에 발표된 그린 뉴딜은 지금까지의 탈원전 정책에서 진일보한 것으로, 전체 전력의 30%를 담당하는 원전 비중을 2030년까지 18%로 낮추는 대신에 액화천연가스(LNG)는 20%에서 37%로, 신재생에너지는 5%에서 20% 수준으로 끌어올리기 위한 계획을 포함하고 있다.

<나>

세계의 전력 수요는 지속적으로 증가해오고 있으며, 앞으로도 증가할 것으로 예상된다. 1990년 대비 현재 전력생산량은 2만3천 TWh* 정도로 약 2배 증가하였으며, 2050년에 이르면 현재 대비 80% 증가한 전력생산이 필요할 전망이다. 2019년 NEO** 보고서에서 제시된 세계 전력생산 주요 공급원에 대한 이력을 [그림 1]에서 살펴보면 석유, 가스, 석탄과 같은 화석연료가 세계 전력생산량의 약 60%의 비중을 차지해왔다. 반면, 원자력 발전량은 소폭 상승에 그쳐 사실상 제자리걸음을 하고 있고, 수력을 제외한 태양광과 풍력 등 재생에너지의 비중은 아직까진 높지 않은 수준이다. 따라서 기후변화에 대비하여 화석연료 발전소를 대체하는 한편, 증가하는 전력 수요를 충족시키기 위한 신규 발전소의 증설이 불가피한 상황이다.

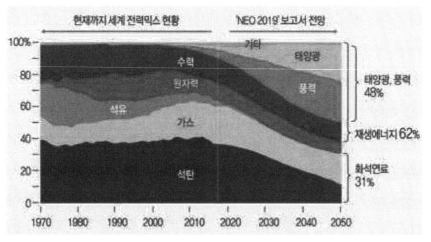

[그림 1] 전력믹스 추이 전망 (2019년 기준)

*TWh: 테라와트(TW)×시간(h). 전력량의 단위
**NEO(New Energy Outlook): 전력생산 주요 공급원에 대한 전망

한편 국제에너지기구(IEA)의 시나리오에 따르면 [그림 1]과 같이 2050년에는 현재 대비 80% 증가한 4만 TWh 이상의 전력량을 생산해야 할 전망이다. 석탄 및 석유 등 화석연료의 비중은 줄어들지만 여전히 31%를 차지할 것으로 보인다. IEA는 지구의 기후변화를 고려하면 수력, 태양광, 풍력 등을 합친 재생에너지가 세계 전력생산량의 62%를 차지해야 하는 것으로 전망한다.

<다>

① 국제 관계는 국가 간의 힘의 논리를 통해 형성된다. 개별 국가를 통제할 세계 정부는 존재하지 않기 때문에 국가는 자국의 이익을 최우선으로 추구하기 마련이다. 때문에 한 국가의 대외 정책에 대해 도덕적으로 좋은 정책, 나쁜 정책이라는 구분은 의미가 없고, 오직 국익에 도움이 되는지 아닌지가 그것을 판별하는 기준이 된다. 국가 간의 분쟁은 이러한 차원에서의 정치·외교 정책으로 인해 발생한다. 인간은 선천적으로 선하거나 완전하지 않으며, 정치 개혁 혹은 교육을 통해 인간성을 변화시키는 일은 대단히 제한되어 있다. 국가는 이처럼 이기적인 인간들로 구성되어 있고, 세계 역시 자국의 이익을 추구하는 이기적인 국가들로 이루어져 있다. 따라서 도덕적 원칙이

국가 간 정치 행위에 적용되기란 불가능하다.

② 국제 관계는 보편적인 선(善)에 의해 지배된다. 인간이 이성적인 존재이듯이 국가도 이성적이고 합리적이기 때문에 국제 사회의 질서는 도덕과 국제 규범 등을 통해 유지될 수 있다. 즉, 인간은 상호 협력이 가능하며, 마찬가지로 개별 국가 간에도 상호 협력이 가능하다. 국제 관계에서의 나쁜 행동은 인간의 악한 본성에서 나오는 것이 아니라, 인간을 이기적으로 만드는 국제 정치상의 구조와 제도 때문이다. 다시 말해, 국가 간 분쟁은 서로에 대한 무지나 오해뿐만 아니라 잘못된 제도에 의해서도 발생한다. 인간의 이성과 양심을 통한 사회의 진보는 가능하며, 인간의 이성과 양심이 국가를 올바른 방향으로 이끌 수 있다. 때문에 현실이 실제로 어떤가를 설명하기보다는 세계가 어떻게 나아가야 하는가의 문제가 중요하다. 그러므로 국제 사회의 갈등과 문제는 국제법이나 국제 규범과 같은 제도의 개선을 통해 해결할 수 있다.

<라>

파리기후변화협약은 선진국에만 온실가스 감축 의무를 부과하였던 교토의정서와 달리 당사국 모두가 지켜야 하는 전 세계적 합의이다. 이 협약은 2020년 만료되는 교토의정서를 대체하기 위해 195개국의 합의로 채택되었다. 세계 각국은 자국의 온실가스 감축 목표를 국제연합(UN)에 제출한 후 이를 5년 마다 검토받게 되며, 2023년 첫 점검이 이루어진다. 안토니우 구테흐스(Antonio Guterres) UN 사무총장은 기후변화가 가속화되어 이미 위험한 단계에 이르렀다며 "파리기후변화협약의 전 세계적인 이행이 절대적으로 중요하다"고 강조했다. 그러나 미국은 이러한 국제 사회의 합의에도 불구하고 최근 파리기후변화협약 탈퇴를 결정했다. 파리에서 결의된 이 협약이 미국의 노동자, 기업, 납세자에게 불공평한 경제적 부담을 가하고 있다는 이유에서이다. 중국 다음으로 많은 온실가스를 배출하는 미국이 파리기후변화협약에서 이탈함으로써 전 세계 온실가스 배출 및 기후변화 대책의 큰 틀에 변화가 생길 것으로 우려된다. 미국이 이 협약에서 탈퇴하게 되면 일부 국가들이 미국에 동조하여 탈퇴 흐름에 올라탈 가능성도 있다. 환경학자들은 세계 2위 탄소 배출국인 미국이 환경 규제에 동참하지 않음에 따라 기후변화 대응을 위한 국제 공조가 흐트러지게 되면 지구 온난화가 더욱 가속화될 것이라고 우려한다.

성신여자대학교
SUNGSHIN WOMEN'S UNIVERSITY

지원학부(과)		수 험 번 호					주민등록번호 앞6자리(예: 040512)					

성   명

1번 답안   (반드시 해당 문제와 일치 하여야 함)

60
120
180
240
300
360
420
480
540
600
660
720
780
840
900
960
1020

2번 답안   (반드시 해당 문제와 일치 하여야 함)

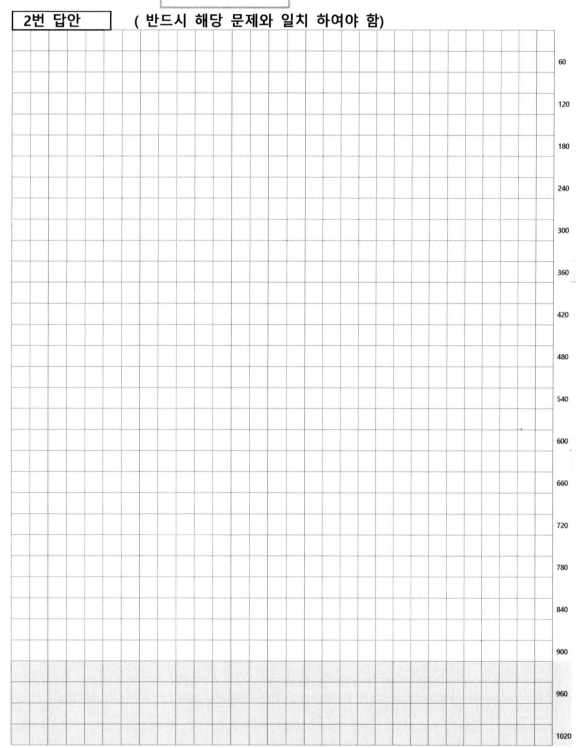

12. 2021학년도 성신여대 모의 논술

[문제 1]

제시문 〈가〉에 기술된 '감염병 억제를 위한 한국 정부의 사생활 제한 정책'은 제시문 〈나〉의 관점 ①과 관점 ② 각각에서 긍정적으로도 부정적으로도 평가될 수 있다. 제시문 〈나〉 ①, ②의 관점에서 어떻게 긍정적, 부정적 평가가 가능한지 각각 그 근거를 논리적으로 서술하고, 한국 정부의 정책에 대한 자신의 견해를 논술하시오. (800~1,000자)

[문제 2]

제시문 〈다〉에 소개된 '사생활 보호 8대 원칙'에 비추어 제시문 〈가〉에 나타난 한국 정부의 확진자 정보 수집 및 공개가 적절히 이루어졌는지를 평가하시오. 그리고 아래 일어난 세 개의 사례를 고려하여 제시문 〈다〉의 사생활 보호 원칙에 어떤 점이 보완되어야 하는지 논술하시오. (800~1,000자)

> • 최근 코로나19 집단 감염 사태의 중심에 있는 한 남성이 서울의 성소수자 거리에 있는 클럽을 방문했다는 보도가 나옴에 따라, 인권 단체들은 그 남성과 접촉한 사람들의 성 정체성이 개인의 의사에 반하여 공개되는 것을 우려하고 있다.
> • 코로나19 감염 확진자의 동선이 공개됨에 따라 해당 식당과 영화관은 최소 2주간 영업을 할 수 없게 되었으며, 영업이 재개된 이후에도 확진자 방문 이전과 비교할 때 매출의 60%가 감소하였다.
> • 중고교생 2,000명을 대상으로 실시된 최근의 설문조사 결과에 따르면, 응답자의 대부분은 바이러스 그 자체보다 바이러스 감염 또는 전파로 인해 친구들에게 따돌림이나 망신을 당하는 것을 더 무서워한다고 한다.

〈가〉

2019년 말에 시작된 코로나19 사태는 전 세계 인류의 삶에 막대한 영향을 미치고 있다. 그러나 세계적 유행병(pandemic)으로 야기된 혼란 속에서도 한국은 세계 여러 나라가 강행한 봉쇄조치 없이도 감염병 전파를 통제하는 것이 가능하다는 것을 보여주고 있다. 감염예방 물품과 생필품의 매점매석, 사재기가 횡행하는 다른 나라들과 달리 한국은 비교적 평온을 유지하고 있다. 사람들이 줄을 서는 경우는 마스크를 사거나, 투표를 할 때뿐이다.

이제 세계는 한국이 바이러스 확산을 통제하는 데 성공한 세 가지 비결인 '검사', '추적', '억제'에 주목하고 있다. 세계보건기구(WHO*)가 지난 3월 중순에 전 세계를 향해 '검사, 검사, 검사'를 애타게 주문하기 몇 주 전부터 한국은 이미 그렇게 하고 있었다. 하루 평균 12,000명을 검사할 능력을 갖추었고, 드라이브스루(drive-through)와 워크 인(walk-in) 등의 방식을 통해 10분 안에 무료로 진단검사가 이루어졌으며, 그 결과는 24시간 안에 피검사자의 휴대전화로 전달되었다.

한국이 감염병 확산에 성공적으로 대처해 올 수 있었던 비결 중 하나는 세계에서 가장 우수한 정보통신기술을 토대로, 검사는 물론이고 접촉자를 추적하여 감염병 확산을 막는 데 모바일 기술을 사용했기 때문이다. 양성 판정을 받은 사람에게는 그들의 최근 동선을 밝히도록 하였으며, 이를 검증하기 위해 휴대폰 GPS 추적, 감시 카메라 기록, 신용카드 거래 내역을 보조수단으로 동원하였다. 이토록 세밀한 추적 덕분에 한국질병관리본부는 감염자가 확진 판정 전에 다녔던 곳을 대중에게 낱낱이 실시간으로 경고해줄 수 있었다.

그러나 경고 안내문에 확진자의 성별과 나이, 그리고 방문했던 장소의 이름과 주소 등의 정보가 포함됨으로써 일각에서는 개인의 사생활을 침해할 우려가 있다는 비판이 제기되기도 한다. 이에 대해 정부는 사생활 보호가 중요한 인권이지만 감염병 확산과 같은 위기 상황에서도 지켜져야 할 절대적 권리는 될 수 없다고 주장한다. 또한 법률이 허용하는 범위 내에서 사생활이 제한될 수 있다는 점은 시민적·정치적 권리에 관한 국제규약(ICCPR**)에도 명시되어 있다고 밝히고 있다. 한국은 사생활 제한 범위를 명확하게 규정한 견고한 법률 체계를 갖추고 있을 뿐만 아니라 사생활 보호와 대중의 건강 보호 사이의 균형을 이루기 위해 임의적 결정에 의한 조치가 아니라 법률에 근거를 둔 조치를 취하고 있음을 강조하고 있다.

한국 정부가 5월에 발행한 보고서 『코로나19 억제 정책: 팬데믹 대응을 위한 한국의 ICT*** 활용 사례』를 보면, 한국이 사회적 거리두기, 신속한 검사, 재빠른 추적, 원활한 치료를 통해 "20일 만에 성공적으로 코로나19 감염자 증 가곡선을 완만하게 만들 수 있었던" 데는 정보통신기술(ICT)의 활용이 결정적이었음을 확인할 수 있다.

* WHO: World Health Organization
** ICCPR: International Covenant on Civil and Political Rights
*** ICT: Information and Communications Technology

<나>

① 우리는 수많은 도덕적 갈등 상황에서 "약속은 꼭 지켜야 한다."와 같은 의무에 따라 판단을 내릴 때가 있다. 우리가 마땅히 지켜야 할 의무에 따라 행위의 옳고 그름을 판단해야 한다는 것이다. 이와 같은 입장은 행위의 가치가 본래 정해져 있다고 본다. 예를 들어 진실을 말하는 행위는 본래 옳고, 거짓말을 하는 행위는 본래 그르다. 즉 인간의 어떤 행위는 그 자체의 가치에 의해 옳고 그름이 온전히 결정되며, 따라서 그 행위가 달성하고자 하는 목적에 영향받지 않는다. 다시 말해, 목적은 수단을 정당화할 수 없다. 예를 들어 거짓말을 하거나 약속을 어기는 것은 어떤 경우에도 옳지 않은 것이므로, 아무리 좋은 목적을 위해서라도 이러한 행위를 해서는 안 된다.

어떤 문제가 생길 경우에는 각 당사자가 당면한 상황에서 갖게 되는 의무가 무엇인지를 가장 먼저 파악할 필요가 있다. 물론 그러한 의무에는 각 개인이 져야할 의무가 있을 것이고, 국가가 져야할 의무도 있을 것이다. 예를 들어 어떤 사람이 목숨이 위태로운 상황에 있다면 그것을 목격한 개인은 자신이 도울 수 있다면 그 사람을 구조하는 데 힘을 보태야 하며, 국가는 그러한 위태로운 상황이 개인에게 닥치지 않도록 제도를 갖추고 환경을 개선해야 한다. 하지만 어떤 상황에서 발생하는 의무는 여럿일 수 있으며 심지어는 그 의무들이 서로 충돌하기도 한다. 만약 다른 사람의 목숨을 구조하려다 자신의 목숨이 위태로워진다면 타인의 생명을 지켜야 하는 의무는 자신의 목숨을 소중히 해야 하는 의무와 충돌하게 된다. 물론 이럴 경우 두 의무의 충돌을 피할 수 있는 온갖 방안을 먼저 강구해 보겠지만 그럼에도 충돌이 불가피하다면 우리는 관련된 의무들 간의 우선순위를 정하는 쪽으로 나아가지 않을 수 없다. 우선 순위를 정한다는 것은 곧 나중 순위의 의무를 최소한으로 위배하면서 앞선 순위의 의무를 완수할 방안을 찾아 이를 실행한다는 것을 뜻한다.

② 도덕적 문제 상황에서 옳고 그름을 판단할 때 우리는 어떤 행위가 가져오는 결과를 고려하기도 한다. 어떤 행위의 옳고 그름은 그 행위를 수행함으로써 발생하는 결과에 의존하며, 따라서 올바른 행위란 최선의 결과를 가져오는 행위라고 말할 수 있다. 이러한 입장에서 볼 때 행위의 가치는 그 자체로 결정되어 있지 않다. 도덕적 문제 상황은 다양하며 최선의 결과를 가져오는 행위도 상황에 따라 다르기 때문이다. 따라서 행위의 가치는 각 상황의 결과에 의해 결정되며, 미리 정해져 있는 것은 아니다. 또한 가장 좋은 결과의 산출이라는 목적에 도움이 되는 수단은 도덕적으로도 정당화될 수 있다. 예를 들어 거짓말이라는 행위가 가장 좋은 결과를 가져다준다면, 거짓말을 도덕적으로 비난할 수 없다.

따라서 우리는 옳고 그름을 판단하기 위해 각 상황에서 취할 수 있는 행위들을 먼저 모두 찾아볼 필요가 있다. 그런 행위들 가운데 가장 좋은 결과를 낳는 행위만이 정당성을 갖게 된다. 그러나 여기에는 두 가지 문제가 있다. 첫째, 무엇이 가장 좋은 결과인지에 대해 일치된 답을 찾기가 어렵다. 이를테면 어떤 이는 사람의 목숨을 구하는 것보다 더 좋은 결과는 없다고 하고, 다른 이는 때로는 목숨을 걸고서라도 지켜야 할 숭고한 가치가 있다고 주장할 수 있다. 둘째, 가장 좋은 결과에 대해 의견이 일치하더라도, 그러한 결과를 낳기 위해 현 상황에서 취해야 할 가장 적절한 행위가 무엇인지에 대해 일치된 답을 이끌어내지 못하는 경우가 많다. 목숨을 구하는 것이 가장 좋은 결과라는 데 모두 동의하더라도, 지금 직면한 상황에서 어떤 조치가 그 목적을 달성하는 데 가장 효과적인지, 다시 말해 비용 대비 효과가 가장 큰지에 대해 서로 견해가 다를 수 있다. 또한 같은 선택이라 하더라도 상황에 따라 다른 결과로 이어지는 일이 허다하므로, 각 상황이 갖는 특수성을 고려하여 가능한 행위와 결과를 달리 계산하여야 하며, 필요하다면 얼마든 다른 선택을 하는 것이 허용되어야 한다.

〈다〉

정보화는 우리의 삶에 여러 긍정적인 변화를 가져왔다. 그러나 정보화 사회에서는 사생활 침해, 사이버 범죄, 정보 격차 등의 새로운 문제가 발생하기도 한다. 최근에는 개인의 정보가 정보화 기기를 통해 노출되면서 자신의 행동이나 기록이 다른 사람에게 공개되거나 악용되는 사생활 침해 사례가 늘고 있다. 또한 다양한 기관에서 개인의 소득과 신용에 대한 정보뿐만 아니라 신체와 의료 정보 등을 수집, 저장, 관리하면서 사생활 침해의 위험이 커지고 있다.

이러한 문제를 해결하기 위해 사회적으로는 개인 정보에 대한 관리를 강화하고, 개인 정보 도용에 대한 처벌 수준을 높이는 등의 법적 장치가 필요하다. 최근 우리 정부는 정보통신보호법, 개인정보보호법 등과 관련된 제도적 방안을 마련하여 개인 정보 보호를 위해 노력하고 있다. 이와 함께 개인적으로는 자신의 정보 노출을 최소화하고, 이미 개인 정보가 유출되어 피해를 봤다면 신속하게 신고하여 2차 피해를 막아야 한다.

일찍이 경제협력개발기구(OECD*)는 '사생활 보호와 개인정보의 유통에 관한 가이드라인'을 채택하였으며, OECD 이사회는 2013년 7월 11일 이에 관한 개정안을 마련하여 각국이 이를 준수하도록 권고해 왔다. 국내에서 'OECD 사생활 보호 8대 원칙'으로 많이 알려진 개정안의 주요 내용은 다음과 같다.

No	원칙	상세 설명
1	수집 제한의 원칙	개인정보를 수집하는 것은 원칙적으로 제한되어야 하며, 개인정보를 수집할 때는 적법하고 공정한 수단에 의해야 하며, 적절한 상황에서 정보 주체에게 알리거나 동의를 구해야 한다.
2	정보 정확성의 원칙	개인정보(데이터베이스)는 사용 목적에 부합해야 하고, 사용 목적에 필요한 범위 내에서 정확하고 완전하며 최신의 상태로 유지되어야 한다.
3	목적 명확화의 원칙	개인정보를 수집할 때는 수집 시 그 수집 목적이 명확하게 제시되어야 하고, 이후 이를 사용할 때는 애초 목적과 모순되지 않아야 하며, 사용 목적이 변하는 각각의 경우에는 다시 명시되어야 한다.
4	사용 제한의 원칙	개인정보는 정보 주체의 동의가 있거나 법률 규정에 의하지 않고는 수집 당시 목적 이외의 용도로 누출되거나 사용되어서는 안 된다.
5	보안 확보의 원칙	개인정보의 유출, 권한 이외의 접근·파괴·사용·수정, 누출 위험에 대비하여 합리적인 보안 장치를 마련해야 한다.
6	공개의 원칙	개인정보에 관한 개발, 운용 및 정책에 관해서는 일반적인 공개 정책을 취하여야 한다. 개인정보의 존재와 특성, 주요 사용 목적과 함께 정보 관리자의 신원과 주소를 쉽게 알 수 있는 수단이 마련되어야 한다.
7	개인 참여의 원칙	정보 주체인 개인 정보 관리자에게 자신과 관련된 정보가 있는지 확인하고, 합리적인 시간 안에 과도하지 않은 비용과 합리적인 방식, 그리고 쉽게 알아볼 수 있는 형태로 자기 정보를 열람할 수 있어야 하며, 자신의 정보에 대해 이의를 제기하고 삭제·정정·보완·수정을 청구할 수 있어야 한다.
8	책임의 원칙	정보 관리자는 위의 원칙들이 지켜지도록 필요한 제반조치를 취할 책임을 진다.

* OECD: Organisation for Economic Co-operation and Development

성신여자대학교
SUNGSHIN WOMEN'S UNIVERSITY

지원학부(과)		수 험 번 호						주민등록번호 앞6자리(예 040612)					

성   명

1번 답안   (반드시 해당 문제와 일치 하여야 함)

60
120
180
240
300
360
420
480
540
600
660
720
780
840
900
960
1020

2번 답안 (반드시 해당 문제와 일치 하여야 함)

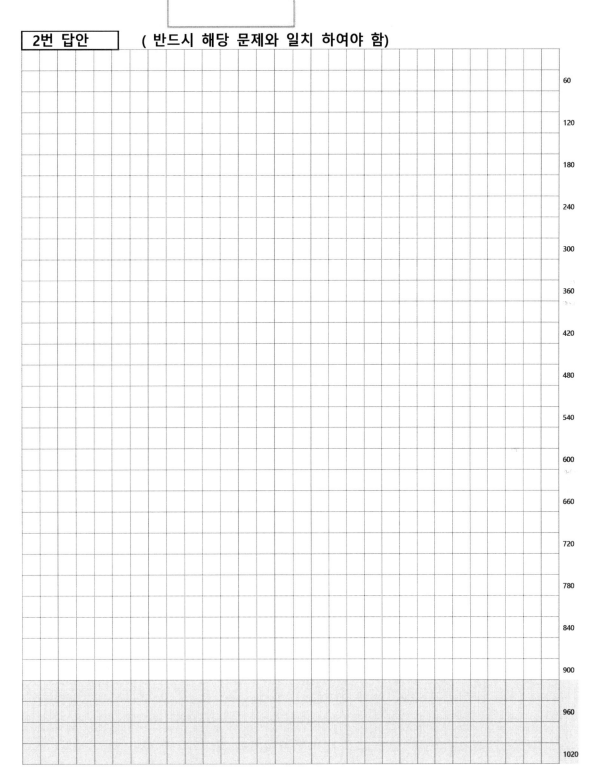

13. 2020학년도 성신여대 수시 논술

[문제 1] 뉴미디어의 특징을 제시문 <가>에서 찾아 설명하고, 제시문 <나>의 사례를 참고하여 뉴미디어의 문제점을 쓰시오. 그리고 제시문<나>를 바탕으로 뉴미디어를 사용하는 개인의 바람직한 자세에 대해 서술하시오. (900±100자)

[문제 2] 제시문<다>의 1과 2의 관점에서 뉴미디어에 관한 제시문<라>의 주장을 어떻게 볼 것인지 각각 서술하시오. 그리고 제시문 <다>의 두 관점 중 하나를 택한 후, <보기>의 사례를 규제대상인지 아닌지 분류하고 각각의 이유를 쓰시오. (900±100자)

<보기>

(a) 지난 미국 대통령선거 당시 유럽의 청소년들이 "교황이 트럼프 지지를 선언했다"는 가짜뉴스를 SNS에 올렸다.

(b) 어떤 유명 연예인이 아프리카에서 사냥한 동물 사체 앞에서 기념사진을 찍어 SNS에 올렸다.

(c) 여섯 살의 유명 어린이 1인 미디어가 10kg이 넘는 대왕문어 먹방*을 선보였다.

(* 먹방: 먹는 방송)

<가>

SNS(Social Network Service: 사회관계망서비스)는 수년 전 발생한 '아랍의 봄'이라 불리는 민주화 운동에서도 위력을 발휘했다. 아랍의 독재자들은 언론을 장악해 여론을 통제하고, 비상계엄령을 통해 시위를 금지했으며, 시민들이 자유롭게 정치적 의견을 표출하는 것을 억제했다. 이런 상황에서도 튀니지에서는 반독재 민주화 시위가 발생했다. 대학 졸업 후 경제악화로 취업을 하지 못하고 과일노점상을 하던 모하메드 부아지지는 경찰에게 노점단속을 당했다. 단속과정에서 경찰에게 과일을 모두 빼앗긴 부아지지가 민원을 제기했으나 받아들여지지 않았다. 결국 그는 2010년 12월 분신자살을 시도했고, 2011년 1월 4일에 숨지고 말았다. 이 사건은 튀니지 정권의 언론통제에도 불구하고 SNS를 통해 널리 알려져 국민들의 분노를 이끌어냈고, 열흘 후인 1월 14일에 벤 알리 대통령은 사우디아라비아로 도망가며 대통령직에서 물러났다. 튀니지의 한 일간지 기자는 혁명 당시 기성 언론이 한 역할이 무엇이냐는 질문에 다음과 같이 말했다. "당시 기성 언론은 제 역할을 하지 못했습니다. 왜 역할을 하지 않았느냐고 물으신다면 역할을 안 한 것이 아니라 할 수가 없었다고 말씀드리겠습니다. 벤 알리 정권은 언론사에 보도지침을 내렸습니다. 언론의 자유가 없었고 정부에 대한 비판을 할 수가 없었습니다."

튀니지의 민주화 시위에 자극을 받은 이집트의 시민들도 무바라크 대통령의 퇴진과 정치·경제 개혁을 요구하는 대규모 시위를 전개했다. 이 과정에서 시민들은 온라인 기반의 SNS를 통해 집회를 제안하고 각종 행동강령을 주고받았다. 경찰의 무자비한 시위 진압으로 발생한 사망자 소식과 시위대를 잔혹하게 진압, 고문하는 동영상도 인터넷을 통해 빠르게 퍼져 나갔다. 시위가 격렬해지자 블로거들을 구금했던 튀니지 정부와 마찬가지로 이집트 정부는 인터넷 사이트 접속은 물론 전화망까지 차단하기도

했다. 그러나 정부의 검열에 시민들은 위성이나 우회회선을 통해 의견과 정보를 주고 받으며 시민혁명을 이어나갔다.

<나>

① 뉴욕타임즈는 미얀마에서 탈출해 인도 서벵골에 살고 있는 로힝야족 난민들이 힌두교도들의 SNS를 통한 독설과 위협으로 심한 고통을 받고 있다고 보도했다. 로힝야족 이슬람교 난민인 A씨는 인터뷰에서 "많은 단체들이 SNS를 통해 우리를 악마로 만들어 반(反) 로힝야 정서에 불을 지피고 있다"고 말했다. 그는 아내와 어린 자녀를 데리고 지난 15개월 동안 수차례 몰래 이사했는데, 힌두교도들에게 공격당하거나 체포되는 것이 두려웠기 때문이라고 했다. 그는 또 "로힝야 이슬람교도들은 식인풍습이 있고, 테러리스트나 반역자라는 거짓 주장이 SNS에 떠돌고 있으며, 인도를 떠나지 않으면 집을 불태우겠다고 협박하는 게시물들을 보았다"고 말했다. 뉴욕타임즈는 해당 SNS 업체가 수년간 미얀마의 로힝야족에 대한 악의적 게시물들을 무시했으며, 이것이 대량 학살, 강간, 마을 파괴로 이어진다는 실질적인 증거가 있음에도 이를 외면하고 있다고 보도했다. 로힝야족에 대한 혐오 발언과 거짓선전은 그 후에도 SNS 사용자들을 통해 확산되고 있다.

② 한 지역전문가는 미얀마에서 시작된 SNS상의 거짓뉴스가 로힝야족 난민 사건에 있어서 가장 악의적인 요소였다고 비난했다. 그는 "미얀마에 스마트폰이나 인터넷이 보급되기 시작한 것은 최근의 일이다. 그렇기 때문에, 이러한 매체의 특징이나 문제점에 대한 이해가 부족하다"고 지적했다. 다른 전문가는 "미얀마에서 과학기술은 폭탄과도 같다. 스마트폰 보유자가 급증하면서 SNS의 사용도 급속도로 확산되고 있다. 하지만 인터넷 공간에서 다른 이들을 존중하는 방법은 모른다. 무엇이 공적인 영역에 속하고 또 무엇이 사적인 영역에 머물러야 하는지 모른다"고 했다.

<다>

① 문명사회에서 구성원의 자유를 침해하는 그 어떤 권력의 행사도 정당화될 수 없다. 본인 자신의 물리적 또는 도덕적 이익을 위한다는 명목 아래 간섭하는 것도 일절 허용되지 않는다. 당사자에게 더 좋은 결과를 가져다주거나 더 행복하게 만든다고, 또는 다른 사람이 볼 때 그렇게 하는 것이 현명하거나 옳은 일이라는 이유에서, 본인의 의사와 관계없이 무슨 일을 시키거나 금지해서는 안 된다. 이런 선한 목적에서라면 그 사람에게 충고하고, 논리적으로 따지며, 그 사람을 설득하면 된다. 그것도 아니면 간청할 수도 있다. 그러나 말을 듣지 않는다고 강제하거나 위협을 가해서는 안 된다. 사람들은 자신의 기호를 즐기고 자기가 희망하는 것을 추구할 자유를 지녀야 한다. 각각의 개성에 맞게 자기 삶을 설계하고 자기 좋은 대로 살아갈 자유를 누려야 한다. 이러한 일이 남에게 해를 주지 않는 한, 설령 다른 사람의 눈에 어리석거나 잘못되거나 또는 틀린 것으로 보일 지라도 그런 이유를 내세워 간섭해서는 안 된다. 이런 자유를 절대적으로, 무조건적으로 누릴 수 있어야 완벽하고 자유로운 사회라고 할

수 있을 것이다.

② 나 혼자서는 절대로 선을 추구할 수도, 선행을 할 수도 없다. 우리는 누구나 특정한 사회적 정체성을 지닌 사람으로서 자신을 둘러싼 환경을 이해한다. 나는 누군가의 아들이거나 딸, 또는 사촌이거나 삼촌이다. 나는 이 도시나 저 도시의 시민이며, 이 조합 아니면 저 조합의 회원이다. 나는 이 친족, 이 부족, 이 나라에 속한다. 따라서 내게 이로운 것은 그러한 역할과 관련된 사람들에게도 이로워야 한다. 이처럼 나는 내 가족, 내 도시, 내 부족, 내 나라의 과거에서 다양한 빚, 유산, 적절한 기대와 의무를 물려받는다. 이는 내 삶에서 기정사실이며 도덕의 출발점이다. 또한, 내 삶에 도덕적 특수성을 부여하는 것이기도 하다. 내 삶의 이야기는 언제나 내 정체성이 형성된 공동체의 이야기에 속한다. 나는 과거를 안고 태어나는데, 개인주의자와 같이 나를 과거와 분리하려는 시도는 내가 맺은 현재의 관계를 변형하려는 시도에 지나지 않는다.

<라>

인터넷에서 모든 표현물은 자유롭게 표현되고 흘러야 한다. 당연하게도 모든 사람은 누구에게 허락받거나 신고하지 않고 자기가 원하는 스토리를 자기가 원하는 방식과 경로로 전달할 수 있어야 한다. 화자는 정치적으로 공정할 필요도, 교양 있고 올바르고 건전한 말만 해야 할 이유도 없다. 자기의 표현물을 그냥 공개할 수도, 돈을 받고 팔 수도 있으며, 다른 사람의 표현물을 사서 대신 전달할 수도 있다. 그러므로 콘텐츠 제작자를 방송 사업자로 규제하는 것에 신중해야 한다. 규제는 미디어 시장과 문화 전반의 성장을 저해할 뿐이다. 재미있는 동영상 콘텐츠로 수익을 내고자 하는 크리에이터들, 혹은 정치 논객으로 활동하면서 생활도 영위하고자 하는 1인 미디어들에게 이러한 공공성과 공정성을 요구하며 심의, 즉 내용 검열의 대상으로 삼는 것이 타당한가. 이러한 규제는 크리에이터 들의 표현의 자유를 위축시키고 경직시킨다. 사람들이 이들에게 열광하는 이유는 방송과 달리 자유로운 표현을 할 수 있기 때문이다. 앞으로 모든 크리에이터나 1인 미디어들이 품위 있는 말을 해야 하고, 정치적 쟁점에 대해 공정하게 말해야 한다면 무슨 의미가 있겠는가.

성신여자대학교
SUNGSHIN WOMEN'S UNIVERSITY

지원학부(과)		수 험 번 호					주민등록번호 앞6자리(예 040612)					

성   명

1번 답안   (반드시 해당 문제와 일치 하여야 함)

60
120
180
240
300
360
420
480
540
600
660
720
780
840
900
960
1020

99

지원학부(과)	수 험 번 호	주민등록번호 앞6자리(예: 040512)

총   평

2번 답안   (반드시 해당 문제와 일치 하여야 함)

	60
	120
	180
	240
	300
	360
	420
	480
	540
	600
	660
	720
	780
	840
	900
	960
	1020

VI. 예시 답안

1. 2024학년도 성신여대 수시 논술 (1교시)

【문제 1】
제시문 <가>의 두 가지 딜레마 상황에 대한 인간의 도덕 판단을 제시문 〈나〉, 〈다〉를 토대로 분석하고, ㉠의 내용을 제시문 〈다〉를 활용하여 서술하시오. (900±100자)

[문제 2]
[그림 2]의 결과를 ㉡을 활용하여 분석하고, 제시문〈라〉를 토대로 제시문 <마>의 제목 『멋진 신세계』의 역설적 의미를 논하시오. (900±100자)

[문제 1]

 제시문 <가>에서는 트롤리 딜레마와 육교 딜레마가 제시되어 있다. 먼저, 트롤리 딜레마에 대해 85%의 사람들은 선로를 변경하여 5명을 구하고 1명을 희생시키는 판단을 내렸다. 이러한 판단은 최대 다수의 최대 행복을 추구하라는 유용성의 원리에 근거하였다는 점에서 결과론적 판단이라 할 수 있다. 이러한 결과론적 판단 과정에서는 이성적 추론 기능을 담당하는 뇌 영역이 활성화되었는데, 이는 결과론적 판단이 인간의 두가지 사고 유형 중 주로 숙고 시스템에 의해 도출된다는 것을 의미한다. 따라서 결과론적 판단은 감정보다는 이성에 기반하며 복잡한 상황에서 신중한 추론을 통해 산출된다고 할 수 있다.

 반면, 육교 딜레마에 대해서는 12%의 사람들만이 덩치가 큰 한 사람을 희생하여 5명을 구해야 한다는 판단을 내렸다. 즉, 대다수는 그러한 판단을 내리지 않았다는 것인데 이는 인간을 단지 수단이 아닌 목적으로 대우하라는 정언명령에 근거하였다는 점에서 의무론적 판단이라 할 수 있다. 이러한 의무론적 판단 과정에서는 정서와 관련된 뇌 영역이 활성화되었는데, 이는 의무론적 판단이 인간의 두 가지 사고 유형 중 주로 자동 시스템에 의해 도출된다는 것을 의미한다. 따라서 의무론적 판단은 이성보다는 감정에 기반하며 신속한 직관적 판단을 통해 산출된다고 할 수 있다.

 한편, 이러한 실험 결과와 해석은 의무론에 대한 전통적인 관점에 의의를 제기하는 것이라 할 수 있다. 왜냐하면 전통적 규범윤리학에서는 의무론적 판단이 이성적 추론의 산물로 받아들여지기 때문이다. 칸트는 실천 이성을 통해 보편적 도덕법칙을 단지 그것이 의무이기 때문에 행해야 한다고 주장한다. 즉, 전통적 의무론의 관점에서 인간이 마땅히 해야 할 바를 생각하고 그것을 스스로의 의지로 행하는 것은 실천 이성의 산물이다. 그러나 제시문 <나>의 실험에서는 의무론적 판단이 실제로는 이성적 사고의 산물이 아닌 정서적 직관의 산물이라고 해석함으로써 의무론이 이성의 산물이라고 여겼던 전통적 관점에 이의를 제기하고 있다. (990자)

[문제 2]

 [그림 2]는 디폴트 방식의 차이에 따른 국가별 장기기증 동의율을 나타내고 있다. 덴마크, 네덜란드, 영국, 독일 사람들의 장기기증 동의율은 매우 낮은 반면, 오스트리아, 벨기

에, 프랑스, 헝가리, 폴란드, 포르투갈, 스웨덴 사람들의 장기기증 동의율은 매우 높다. 이러한 차이가 발생한 원인을 장기기증 동의에 관한 선택 방식의 차이를 통해 분석할 수 있다. 덴마크, 네덜란드, 영국, 독일에서는 장기기증에 동의하지 않음을 기본 디폴트 값으로 설정하되, 장기기증을 원하는 사람들이 적극적 동의 의사를 표명하도록 하는 '선택 가입(opt-in) 방식'을 채택하고 있다. 반면, 오스트리아, 벨기에, 프랑스, 헝가리, 폴란드, 포르투갈, 스웨덴은 장기기증에 동의하는 것을 기본 디폴트 값으로 설정하되, 장기기증을 원하지 않는 국민은 거부 의사를 표명하도록 하는 '선택 탈퇴(opt-out) 방식'을 채택하고 있다. 이는 디폴트 규칙을 활용한 일종의 넛지 전략이라 할 수 있는데, 이러한 넛지는 사람들의 현상유지 편향을 이용하여 장기기증 동의율을 높인 대표적인 사례라 할 수 있다.

이러한 넛지는 공공의 이익에 부합하는 선택을 유도하여 공공선의 증진을 도모할 수 있다는 장점이 있지만, 정부의 온건한 개입이 점차 미끄러운 비탈길을 타고 내려가 극심한 개입이나 강압으로 바뀔 수 있다는 위험성도 지닌다. 정부의 강한 개입은 시민의 자유를 훼손할 수 있기 때문에 경계할 필요가 있다. 사회 정책이나 제도에 대해 권력 집단이 정교하게 선택 설계를 가한다면 시민은 자신도 모르는 사이에 권력 집단이 원하는 방향으로 은밀하게 조종당할 수 있는 것이다. 이러한 상황을 제시문 <마>에서 엿볼 수 있는데, 제시문의 '멋진 신세계'에서는 국가에 의해 은밀하게 조종되고 지배받는 사람들의 모습이 묘사되어 있다. 제시문 <마>에서 사람들은 지능에서부터 생각에 이르기까지 강력한 국가에 의해 통제되고 있다. 사람들은 고착화된 계급의 상태로 통제되고 순응하는 삶을 살아가는 등 진정한 자유를 누리지 못한다. 결국, 전체 사회의 안정과 행복을 추구하는 '멋진 신세계'는 개인의 자유에 대한 억압과 통제, 삶의 의미와 목적의 상실, 전체를 위한 소수의 희생 등으로 구축된 디스 토피아의 역설적 표현이라 할 수 있다. (1000자)

2. 2024학년도 성신여대 수시 논술 (2교시)

[문제 1]
제시문 <가>에 제시된 ㉠의 의미를 간략히 설명한 후, <나>의 제시문들을 활용하여 그 발생 원인을 종합적으로 설명하고, <나>의 제시문들을 활용하여 ㉠에 대처하는 개인의 바람직한 자세에 관해 서술하시오. (900±100자)

[문제 2]
제시문 <다>의 ㉡과 제시문 <마>의 ㉢의 의미를 간략히 설명하고, 이를 활용하여 제시문 <라>의 상황을 진단한 후, 이를 바탕으로 제시문 <가>의 이슈에 대한 국제사회의 바람직 한 대응 방안을 논술하시오. (900±100자)

[문제 1]
최근 인공지능이 갖고 있는 다양한 한계와 위험성에 대한 논의가 이루어지고 있다. 대규모 언어모델을 기반으로 한 생성형 AI와 관련하여 지적되는 환각이 그 대표적 예이다. 환각은 생성형 AI가 거짓된 정보를 올바른 정보인 것처럼 대답하거나 존재하지 않는 정보를 마치 존재하는 정보인 것처럼 대답하는 현상을 의미한다. 30년 경력의 미국 변호사가 챗

GPT를 활용하여 검색한 판례를 법원에 제출하였으나 이 중 일부의 판례는 존재하지 않는 판례임이 밝혀진 사례가 환각의 대표적인 사례이다.

대규모 언어모델을 활용한 생성형 AI의 한계인 환각이 발생하는 원인은 다양하다. 생성형 AI가 아직 학습하지 못한 데이터와 관련된 질문을 받는 경우 환각 현상이 발생할 수 있다. 생성형 AI가 데이터 학습을 하였으나 그 내용이 다양하지 못한 경우와 같이 학습 데이터의 완성도가 떨어지는 경우에도 환각 현상이 발생될 수 있다. 한편, 기존의 사회적 구조를 반영한 사회적 차별 내지 편견이 학습 데이터에 반영되어 대규모 언어모델을 활용한 생성형 AI가 환각을 일으키는 원인이 될 수 있다. 학습 데이터의 출처 관리가 명확하게 되지 않고 있다는 점, 그리고 학습 데이터의 완성도와 관련된 적정한 기준이 부재하다는 점도 학습 데이터의 완성도가 확보되지 못하는 배경이라고 할 수 있다. 생성물에 대한 판별 기술이 없다는 점 또한 환각 현상을 발생시키는 원인으로 작용한다.

콘텐츠 팜을 통해 유통되는 가짜 뉴스들의 사례를 통해 알 수 있듯이, 오늘날 독자들에게는 인터넷상의 각종 뉴스에 대해 어떠한 뉴스가 진짜인지 가짜인지 비판적으로 판단할 수 있는 역량이 요청되고 있다. 이러한 역량은 생성형 AI의 사용자에게도 마찬가지로 요구된다. 대규모 언어모델에 기반한 생성형 AI는 환각 이슈를 갖고 있는 만큼 이를 사용하려는 개인은 그 결과물을 비판적 관점에서 검토하고 평가하는 역량을 갖추는 것이 필요하다.

[문제 2]

다윈은 종의 기원을 통해 다양한 유전자의 변이가 진화의 원동력이라고 설명하였다. 산업화로 자본을 축적할 수 있는 도시는 우월한 유전자로 여겨졌을 것이다. 도시의 과도한 확대의 결과 인류는 자원의 고갈과 기후 변화라는 위협적 상황을 맞게 되었다. 이러한 환경의 압력에서 일부 도시학자들은 2차 세계대전 직후의 도시 모습을 최적의 조건이라 선택하고, 그 시기의 도시 모습으로 돌아가자고 주장하였다. 도시의 회귀는 직면한 상황을 극복하고 변이를 시도한 하나의 사례이다.

현재 세계의 많은 국가는 선진국이 주도하는 AI 기술 개발에 영향을 받아 이를 활용한 생산성 향상에 주력하고 있다. 자원과 기술력은 물론, 영어가 지닌 위상에 의해 미국을 비롯한 선진국은 우월한 유전자의 지위를 획득한 듯, AI 기술 개발과 이로 인한 수익 창출을 주도하고 있다. 세계 여러 나라와 기업, 그리고 개인들까지 신기술의 활용에 서둘러 진입하려 노력하기 때문에 선진국은 더욱 유리한 입장이 될 것이다. 이러한 환경에서 소수 언어는 소멸하고 기술력과 자본이 없는 나라와 기업은 도태하게 될 지 모른다. 이러한 현실을 고려할 때, AI 기술 개발 과정에도 다양한 견해와 접근이 반영되어야 한다.

AI 기술이 폭발적으로 확산됨에 따라 미래 환경이 어떻게 전개될지 예측하기 힘든 상황이다. 많은 과학자들은 챗GPT가 개발된 지 일 년도 안 되어 벌써 그 위험성을 지적하고 있다. AI 기술 개발과 활용에 대해 개발자들조차 그 위험성을 경고하며 주의를 촉구하고 있다. DNA 재조합을 통한 유전자 변이를 우려하며 가이드라인이 만들어질 때까지 실험을 멈춘 사례는 윤리적 대응을 통해 안전한 진화를 이루기 위한 그 시기의 변이 형태였을 것이다. 국제사회의 협의를 통해 국제적 표준과 규범을 설정하고, 다양성을 존중하며 인류 공동의 가치를 우선으로 한 AI의 윤리적 개발이 이루어져야 한다.

3. 2024학년도 성신여대 모의 논술

[문제 1]

제시문 <가>에 나타난 '지방소멸'의 용어를 통해 현재 한국 사회의 변화를 설명하고, 제시문 <나>의 '고향사랑기부제' 적용이 한국의 지속적인 국토 균형개발에 어떠한 영향을 미칠 수 있는지 논술하시오. (800~1000자)

[문제 2]

제시문 <다>에 밑줄친 ㉠이 가리키는 개념과 의미, 발생 원인을 서술하고, ㉠의 긍정적 효과와 부정적 효과에 대해 순서대로 논술하시오. (800~1000자)

[문제 1]

지도가 보여주는 바와 같이 1975-2020년 간의 인구 성장은 서울과 몇몇 도시에 집중되었고, 행안부는 일부 대도시를 제외하고 대부분 시군지역을 인구 감소 관심 지역이라고 판단하였다. 기능과 경제적 구조가 잘 갖추어진 지역은 인구를 흡인하는 대신, 지역 기반이 약한 곳의 젊은 인구를 비롯한 사람들은 더 나은 기회를 찾아 떠나간다. 그래프가 보여주듯 이 20세기 후반까지 서울 순이동인구가 가장 높게 증가했는데, 이후 감소하는 추세로 경기도 지역의 신도시 개발과 신산업 이전 등이 영향을 미친 것으로 파악된다.

지방의 우수한 인재들이 교육 문화 등 다양한 기회와 나은 사회경제적 기반이 갖추어진 도시를 향해 이출된 후 고향으로 다시 돌아오지 않아 지방은 공동화되고, 지역소멸이라는 위협적 상황에 이르게 된다. 실제로 지역이 소멸되는 일은 나타날 수 없다. 하지만 여전히 사람이 살고있는 곳에 필요한 시설물, 교육, 행정, 인프라 환경들이 분배되어야 하는 상황에서, 인구가 감소된 지역은 상대적으로 차별될 수 밖에 없다. 사회경제적 환경과 삶의 질이 낙후되는 지자체들이 활성화 전략 지원을 요구하였고, 일본이 실행하고 있는 '고향 기부금' 제도를 도입하게 되었다. 일본은 재난 대응의 위급 상황에서 떠나온 고향에 대한 시혜적 마음으로 기부가 형성되기도 한다.

한국에서 고향세 기부 기회가 바로 고향에 대한 관심과 애정에 의한 기부금 납부를 결정으로 이어질 수 있을까? 아마 고향의 추억이 애틋하고 자랑스러움이 있는 사람은 기부의 마음을 쉽게 열지 모른다. 지역의 특수한 매력과 근린, 도시, 환경적 어메니티가 충분하다면 전통을 기반으로 한 지역의 정체성 자체가 사람들의 관심과 흥미의 요소가 될 것이다. 지방의 주민이 주체가 된 독특한 생활양식이나 노포 등의 보전에 고향세가 활용된다면 연대감 형성과 협력 상생을 이끌어 낼 수 있다. 그러나 자체적 계획 없이 도시형 상업모형을 흉내내는데 기금이 활용된다면, 임대료의 상승이나 지역성의 파괴 등 또 다른 부작용이 나타날 수 있다.

[문제 2]

㉠현상은 젠트리피케이션으로, 이는 낙후된 구도심 지역이 활성화되어 중산층 이상의 계층이 유입됨으로써 기존의 저소득층 원주민을 대체하는 현상을 의미한다.

젠트리피케이션의 발생 과정과 원인을 살펴보면, 도시 형성 초기 대부분의 주거지역은 도심에 위치하지만, 이후 도시 규모가 커지고 기존 도심 주거지에 확대되면서 도심은 상업과 업무 기능이 확대되고 자동차를 보유한 중산층은 교외로 주거지를 이동한다. 중산층이 떠난 주거지역은 하위 계층의 거처로 사용되면서 노후화되고 이러한 노후화된 공간은 재개발하는 과정에서 복합 개발이 되는데, 이곳에 다시 중산층이 유입된다. 이렇게 도시가 재활성화되면서 사람들이 몰리고 부동산 가치가 상승함에 따라 기존 거주자 또는 임차인, 소상공인들이 다른 지역으로 내몰리는 현상이 발생한다. 젠트리피케이션의 긍정적 측면은 다음과 같다. 첫째, 상대적으로 낙후되었던 지역에 중산층과 부유층이 유입됨으로써 그 지역에 대한 투자가 활성화되어 지역 경제의 활력을 가져다 줄 수 있다. 둘째, 지역의 부동산 가치가 상승하면서 세수가 늘어나 지역의 갱신효과와 재활성화를 촉진하여 지방정부의 세수입과 재정이 증대될 수 있다.

젠트리피케이션의 부정적 측면으로는 첫째, 구도심 활성화에 따른 임대료와 같은 부동산 가격 상승으로 기존에 거주하고 있던 원주민과 소상공인의 주거, 임대 비용 부담이 높아져 다른 지역으로 내몰릴 수 있으며, 이에 따른 공동체 구성원 간의 갈등도 발생할 수 있다는 것이다. 둘째, 프랜차이즈와 같은 거대 자본이 밀려들기 때문에 지역 특유의 문화적 다양성과 정체성을 잃어버리게 된다는 문제도 발생할 수 있다.

4. 2023학년도 성신여대 수시 논술 (1교시)

[문제 1]
제시문 [가]의 K씨 사례를 A안과 B안에 각각 적용하여 순혜택을 평가하고, [나]에 제시된 노인연금의 문제점을 해결할 수 있는 대안을 [가]를 활용하여 논하시오. (900±100자)

[문제 2]
제시문 [다]에서 제시된 공자와 정약용의 관점을 비교·요약하고, [라]의 미국 정부의 학자금 대출 탕감 정책에 대한 찬반 의견을 밝히고, [라]에 나타난 문제점에 대한 해결방안을 공자와 정약용의 관점에서 논하시오. (900±100자)

[문제 1]
제시문 〈가〉에 나타난 A안과 B안은 각각 선별적 복지와 보편적 복지 정책을 비교하여 보여주고 있다. 이 두 가지 정책은 기본적으로 다르게 보이지만, 연 소득 2,000만원인 K씨의 사례에 적용해 정부로부터 받는 복지 혜택과 납부하는 세금의 차이인 '순 혜택'만을 따져보면, 두 가지 안이 모두 순 혜택 600만원으로 동일하다는 것을 알 수 있다. 즉, 조세와 지출을 함께 고려하면 A안과 B안에서 모두 소득자에게 동일한 순 혜택이 제공되므로, 두 정책의 차이는 찾을 수 없다.

제시문 〈나〉에는 노인연금 인상을 둘러싼 다양한 문제점이 언급되었다. 이 중 가장 큰 문제점은 아직 노인연금 인상을 위한 재원 확충 방안이 마련되지 않았고, 평생 연금 개혁과 비교해 볼 때 이에 대한 논의조차 본격화되지 않았다는 점이다. 또한 노인연금 수급자와 비수급자 간 갈등 문제, 노인연금 수급자와 평생연금 수급자 간 형평성 문제, 평생연금 연계 감액 제도로 인한 노인연금 수급자의 상대적 불공정 문제도 해결되어야 한다.

이런 문제점들에 대한 해결 방안은 제시문 <가>의 예시를 통해 알 수 있듯이, 선별적 복지와 보편적 복지라는 정치적, 이념적 논쟁보다는 복지 혜택과 재원마련을 균형 있게 고려하면서 모색해야 한다. 보편 복지 실현을 위해서는 증세가 불가피하다. 보편 복지에 대한 필요성이 제기되고 있음에도 불구하고, 노인연금이 60세 이상 전체 노인에게 동일하게 지급되지 못하는 이유는 재정이 충분히 확보되지 못했기 때문이다. 또한 노인연금 재정이 확보되어 평생연금과 독립적으로 운용된다면, 평생연금과 연계함으로써 상대적으로 피해를 보는 노인연금 수급자 문제도 해결이 가능할 것이다. 한편 증세가 어렵다면, 소득 하위 70%의 노인을 위해 노인연금을 50만원으로 올리는 대신 현재 지급되는 40만원 보다 적은 돈을 모든 노인에게 동일하게 지급하는 정책을 실시해야 한다. 아니면 노인연금 수급 대상자의 연령을 60세에서 70세 이상 노인으로 상향조정하는 방안도 생각해볼 수 있다.

[문제 2]
● 가안:
 공자는 정치가 백성들이 고르게 자원을 분배받고, 편안하고 조화를 이루는 삶을 살게 하는 것으로 보았다. 반면, 정약용은 개인의 노력과 능력에 따른 차등적 대우를 제시하였다. 이러한 관점은 모든 사람이 자원을 균등하게 나누는 것이 아닌, 능력을 갖춘 사람, 노력을 기울이는 사람의 자립에 초점을 맞춘다.
 나는 미국 정부의 학자금 대출 탕감 정책이 불공정한 정책이므로 반대한다. 대학에 진학하지 못한 다수의 국민들이나 자신의 노동의 댓가로 성실하게 모든 부채를 다 갚은 사람들의 입장에서는 매우 불공정한 정책이다. 또한 졸업 후에 소득이 높아지는 혜택은 개인이 누리지만, 이들의 학자금 대출은 세금으로 탕감해주는 상황이 벌어진 것이다. 또한 개인의 상환 능력을 고려하지 않고 일정 소득 이하의 대출자에게 모두 같은 금액을 탕감해주는 것 또한 큰 비용이 들어가는 이 정책의 효과를 떨어뜨린다.
 이 정책의 부작용을 줄이고, 효과를 극대화하기 위해서는 다음 두 가지 방식을 생각해볼 수 있다. 첫째, 공자의 관점에 기반하면 탕감의 금액을 낮추더라도 모든 국민에게 이익이 돌아갈 수 있도록 대학에 진학하지 않은 경우에는 직업훈련 비용을 지급해주거나, 이미 모든 학자금 대출을 상환한 경우에는 이에 상응하는 금액을 환불해 주는 방식 등이 있다.
 둘째, 정약용의 관점에서 개인의 노력이나 능력에 관계없이 1만 달러 혹은 2만 달러를 일괄적으로 탕감해주는 것 또한 불공정할 수 있다. 따라서, 재학생의 경우 개인의 학업성취도에 따라 탕감 금액을 높이거나 졸업생의 경우, 일정 기간 동안 성실하게 대출을 납부해온 사람에게는 탕감 금액을 높여주는 등 차등적으로 학자금 대출을 탕감해주는 등의 대안 마련이 필요하다.

● 나안:
 공자는 정치가 백성들이 고르게 자원을 분배받고, 편안하고 조화를 이루는 삶을 살게 하는 것으로 보았다. 반면, 정약용은 개인의 노력과 능력에 따른 차등적 대우를 제시하였다. 이러한 관점은 모든 사람이 자원을 균등하게 나누는 것이 아닌, 능력을 갖춘 사람, 노력을 기울이는 사람의 자립에 초점을 맞춘다.

　미국 정부의 학자금 대출 탕감 정책은 공자의 관점에서 보면 불공정한 정책으로 볼 수 있다. 모든 국민들에게 고르게 이익이 돌아가는 정책이 아니기 때문이다. 대학에 진학하지 못한 다수의 국민들이나 자신의 노동의 댓가로 성실하게 모든 부채를 다 갚은 사람들의 입장에서는 매우 불공정한 정책이다. 즉, 졸업 후에 소득이 높아지는 혜택은 개인이 누리지만, 이들의 학자금 대출은 세금으로 탕감해주는 상황이 벌어진 것이다.

　반면, 이 정책은 정약용의 관점에서 보면 공정하다. 자신의 노력과 재능을 통해 대학에 진학한 사람들 중, 자신의 소득만으로 모든 부채를 갚기 어려운 사람들의 자립을 도와주는 정책이기 때문이다.

　이 정책의 부작용을 줄이고, 효과를 극대화하기 위해서는 다음 두 가지 방식을 생각해볼 수 있다. 첫째, 공자의 관점에 기반하면 탕감의 금액을 낮추더라도 모든 국민에게 이익이 돌아갈 수 있도록 대학에 진학하지 않은 경우에는 직업훈련 비용을 지급해주거나, 이미 모든 학자금 대출을 상환한 경우에는 이에 상응하는 금액을 환불해 주는 방식 등이 있다.

　둘째, 정약용의 관점에서 개인의 노력이나 능력에 관계없이 1만 달러 혹은 2만 달러를 일괄적으로 탕감해주는 것 또한 불공정할 수 있다. 따라서, 재학생의 경우 개인의 학업성취도에 따라 탕감 금액을 높이거나 졸업생의 경우, 일정 기간 동안 성실하게 대출을 납부해온 사람에게는 탕감 금액을 높여주는 등 차등적으로 학자금 대출을 탕감해주는 등의 대안 마련이 필요하다.

5. 2023학년도 성신여대 수시 논술 (2교시)

[문제 1]
제시문 <가> 현상이 발생한 이유를 제시문 <나>의 ㉠과 ㉡을 토대로 분석하고, 제시문 <나>에 나타난 변화가 세계 경제와 국제 정세에 미치는 영향을 제시문 <다>의 ㉢과 ㉣의 측면에서 논술하시오. (900±100자)

[문제 2]
제시문 <가>의 국제 정세 속에서 제시문 <라>의 지도처럼 반도체 동맹이 전개될 때 한국의 딜레마는 무엇인지 기술하고, 제시문 <마>의 상황에서 요구되는 한국의 대응 방향을 경제와 안보 측면에서 논술하시오. (900±100자)

[문제 1]
　제시문 <가>는 세계화의 새로운 국면 혹은 탈세계화의 변화 속에서 글로벌 기업들이 안정적인 공급망 구축을 위해 산업 공급망을 본토와 가깝거나 동맹국으로 재편하는 현상을 설명하고 있다. 신자유주의 세계화는 글로벌 공급망을 통한 자유로운 교역과 시장의 개방성이 특징이었다. 하지만 견고하다고 믿었던 세계화의 양상은 브렉시트와 미국 우선주의로 대변되는 보호무역주의의 대두, 미·중 무역전쟁으로 인해 쇠퇴 중이다. 팬데믹은 상호 호혜적이었던 글로벌 경제 네트워크가 마비될 수 있음을 보여준 결정타였고, 이에 따라 공급망 마비 현상을 겪은 글로벌 기업들은 지속 가능성과 회복력을 갖춘 새로운 분업체계로 글로

벌 공급망의 재편을 시도하게 되었다. <가>의 니어쇼어링과 프렌드쇼어링은 변화하는 세계화의 양상 속에서 글로벌 기업들이 안정적인 글로벌 공급망 구축을 위해 선택한 방안이다. 재난 상황 혹은 정치적인 갈등 상황 이야기할 수 있는 위험을 피하는 것이 기업들에게 최우선 과제가 되었기 때문이다.

제시문 <나>는 보호무역주의 기조의 부상, 미·중 무역 분쟁으로 인한 패권 경쟁, 팬데믹으로 인한 글로벌 공급망 마비가 초래한 탈세계화 현상과 더불어 러시아의 우크라이나 침공 이후 나타난 신냉전 구도 양상을 보여주고 있다. 탈세계화 현상은 국제 분업화를 축소시켜 장기적으로 인건비 상승, 원자재와 식량, 반도체 등의 공급망 경색을 야기하여 인플레이션을 유발할 수 있다. 또한 신냉전 구도는 세계 경제의 블록화를 촉진할 수 있다. 이 경우 최근 러시아가 유럽으로 공급하던 천연가스를 무기화한 것과 같이 특정 상품과 자원의 무기화가 진행될 수 있고 이는 인플레이션을 자극하여 세계 경제에 악영향을 줄 수 있다. 중국이 우크라이나를 침공한 러시아를 암묵적으로 지원하며 미국 중심의 서방세계와 대립하는 것은 이러한 신냉전 구도 형성의 우려를 자극한다. 이는 과거 냉전 시대에서처럼 '경제의 블록화'를 촉진하는 기폭제가 될 수 있다.

[문제 2]

제시문 <가>는 최근 글로벌 기업들의 공급망 재편 과정에서 나타나는 온쇼어링, 니어쇼어링 현상을 설명하고 있다. 미국은 해외 생산기지 구축으로 세계화에 의한 국제적 분업화의 경제적 효과를 보았지만, 세계 경제에서 중국이 차지하는 비중이 증대하는 위협 상황에 직면하여 제시문 <라>의 지도가 보여주는 바와 같이 환태평양 국가들과 동맹하는 전략을 구상하였다. 미국이 한국, 일본, 대만과 '칩4'를 형성할 경우, 중국 대비 4배 이상의 반도체 생산능력을 갖추게 되면서 원천 기술의 경쟁력은 유지하고, 중국의 반도체 굴기도 견제할 수 있다. 한국이 칩4 반도체 동맹에 참여함으로써 가치 동맹국 간의 협력을 통해 경제적 우위를 차지하는 기회를 얻을 수 있지만, 중국을 배제한 미국과의 일방적 반도체 동맹은 중국을 자극하는 빌미가 될 수 있다. 미국과의 동맹은 신뢰적 안보를 토대로 한다. 미·중 갈등이 심화하는 가운데, 한반도 분단 상황과 경제적 영향 등을 고려한다면 한국에 대한 중국의 선의를 장담할 수 없다. 안보가 바탕이 된 미국과의 동맹이냐, 안정적인 중국과의 경제 교류냐에 대한 양자택일의 상황은 한국의 딜레마이다.

제시문 <마>의 상황과 같이 한국이 '칩4'에 이어 IPEF에 가입한다면 중국은 경제적 상호의존성을 무기로 한국을 압박할 것이다. 하지만 중국 역시 중간재의 대한국 수출입 비중이 상당하여 한국과 일방적으로 대립하기는 쉽지 않을 것이다. 미국과 중국·러시아 사이에서 한국은 평화와 공존을 위해 역할과 책임, 그리고 기여할 바를 모색하여 중추국으로서 위상을 정립해야 한다. 안보와 경제적 안정이라는 양날의 검을 쥐고, 강대국의 자국 이익을 우선으로 한 패권 다툼을 견제할 수 있는 가치 외교에 중점을 두어야 한다. 경제·안보·재난 등의 환경 변화를 신중히 고려하여 지정학적 리스크를 최소화할 수 있도록 실리적 경제 외교에 주력하여야 한다. 즉, 안보가 보장되고, 경제적 지속 성장을 이루어낼 수 있는 실용주의 노선을 바탕으로 한 대응이 필요하다.

6. 2023학년도 성신여대 모의 논술

[문제 1]

제시문 〈가〉를 읽고 1920년대 독일에서 초인플레이션이 발생한 원인과 그 영향을 정리하고, 아래의 글에 등장하는 영국의 실업자가 오스트리아 최고급 호텔에서 묵을 수 있었던 이유를 논술하시오. (800~1000자)

> "한 국가에 인플레이션이 3년 동안 급속히 진행되어 화폐 가치가 불안정해지면 해외 자본만 남는다. ...중략... 오스트리아는 '해외 자본의 집결지'가 되었고 숙명적인 '외국인 특수'를 누렸다. 비엔나의 모든 호텔에서 썩은 냄새가 진동했다. 돈독이 오른 자들은 호텔에 모여 칫솔에서 토지에 이르기까지 모든 물건을 닥치는 대로 사들였다. 궁지에 몰린 사람들이 자신이 소유하고 있던 재산과 골동품이 강도나 약탈을 당한 것이나 다름없는 헐값에 팔렸다는 사실을 눈치채기 전에, 이들은 돈이 될 만한 것은 전부 싹쓸이해갔다. 나는 역사의 산증인으로 확실히 말할 수 있다. 당시 가장 유명한 최고급 호텔 '드 유럽 인 잘츠부르크(de l'Europe in Salzburg)'는 영국 실업자들에게 장기 임대를 한 상태였다. 당시 영국의 실업자 지원 혜택은 상당히 좋았다. 그 돈으로 영국의 빈민가를 전전해야 했지만 오스트리아에서는 여유롭게 살 수 있었다."
>
> -슈테판 츠바이크(Stefan Zweig) 『어제의 세계』에서 발췌

[문제 2]

제시문 〈나〉에 나타난 현상의 원인을 기술하고, 그러한 현상에 대응하기 위한 한국은행과 미국 연방준비제도의 통화정책의 기대효과와 발생할 수 있는 부작용에 대해 논술하시오. (800~1000자)

> "한국은행이 또 기준금리를 올렸다. 지난해 8월 이후 네 번째 인상이다. 한은은 어제 금융통화위원회를 열고 기준금리를 연 1.25%에서 1.5%로 조정했다. 금통위원 여섯 명의 만장일치였다. 현재 한은 총재가 공석인 점을 고려하면 이례적인 행보다."
>
> 중앙일보 2022년 4월 15일
>
> 제롬 파월 Fed(미국 연방준비제도) 의장은 이날 기자회견에서 "금리를 더 빨리 올리는 것이 적절하다면 그렇게 할 것"이라고 말했다. 내년 말 금리 예측 수준은 연 2.75%다. 내년에도 서너 차례 금리를 올릴 수 있다는 뜻이다.
>
> 중앙일보 2022년 3월 18일

〈문제 1〉 *(저자 검토 학생 예시 답안)*

　인플레이션은 특정 물건 가격이 상승하는 것이 아니라, 일정한 종류의 상품과 서비스 가격들의 전반적인 올라 물가가 상승하는 현상이다. 그래서 인플레이션 통제가 중요한 데 만약 통제 불가능한 상태가 되면 초인플레이션이 일어날 수 있다. 제시문 〈가〉에서 독일과 오스트리아는 1919년 제1차 세계 대전에 패했다. 그 책임으로 영국과 프랑스 등 서방 국가에 엄청난 규모의 배상금을 줘야만 했다. 천문학적인 배상금은 독일 정부가 독일제국은행을 통해 화폐를 대규모로 발행하게 해 재정을 조달하는 정책으로 이어졌고 시장에 많은 양의 통화가 급격히 증가하였다. 하지만, 이러한 선택은 화폐 가치 하락과 물가 상승을 유발하기에 충분했고 1923년 초인플레이션을 발생시켰다. 물가 상승은 시장에만 머물지 않았다. 자연스럽게 일을 하는 노동자들의 임금도 상승시켰고 임금이 또다시 물가를 상승시

키는 악순환으로 이어지게 된다. 결국 독일의 마르크화는 국제 환율 시장에서 평가 절하되고 독일경제는 지독한 암흑기에 머물게 된다.

　독일의 초인플레이션은 같은 패전국인 오스트리아에서도 나타났다. 오스트리아의 화폐가치가 급격히 하락해 환율 시장에서 영국이나 프랑스와 같은 서방 국가의 화폐 가치를 급격하게 상승시켰다. 주어진 지문에 의하면 단순히 화폐 가치 하락은 국제 경제에 머문 것이 아니라 개인의 경제생활에도 영향을 주었다. 초인플레이션으로 영국의 화폐가치는 오스트리아에서 급격히 상승했다. 그러므로 패전국인 독일이나 오스트리아의 국민은 외국으로 나갈 경우 경제적 부담이 증가하지만 승전국인 영국은 오히려 환율 상승의 효과를 본 것이다. 실업급여를 받은 영국 실업자가 영국에서는 절대 기대할 수 없었던 고급 호텔 장기 투숙이 오스트리아에서는 가능한 것이 대표적이다. 즉, 초인플레이션은 영국의 실업자를 양산했고, 영국의 실업자는 오스트리아에서 경제적 여유를 가져다주는 기현상이 나타나게 되었다.

(936자)

<문제 2>
　제시문 〈나〉에 의하면 코로나19 확산은 경기를 급격히 위축시켰다. 그래서 코로나19로 위축된 경기를 부양하기 위해 각국은 통화정책을 완화하고 경기를 부양하기 위해 노력했다. 이러한 경제정책으로 시중에 유동성이 늘어났고 시장에서 수요도 증가했다. 그런데 때마침 러시아와 우크라이나의 전쟁이 악재로 작용했다. 이 전쟁은 에너지와 곡물에 심각한 타격을 주었다. 러시아에서 공급되던 에너지가 감소하고 우크라이나에서 수출하던 곡물 또한 줄어들어 가격이 급등하게 된 것이다. 결국 코로나19 이후 수요는 증가했고, 전쟁으로 인한 공급부족은 인플레이션으로 이어졌다.

　중앙은행이 금리를 올리면 시중의 유동성이 줄어들게 된다. 유동성이 줄어들면 소비자의 수요가 점차 억제되고 물가 상승을 줄여주는 효과로 이어질 수 있다. 동시에 소비자는 향후 물가가 내려갈 것이라는 기대로 인플레이션이 억제되면서 물가를 하락시키는 동력으로 작용한다. 중앙은행의 금리 인상 목적은 유동성을 줄여 물가상승을 억제하고 소비자들의 실질 소득이 높이며 소비를 활성해 경기가 활성화하는 선순환을 일으키는 것이다.

　중앙은행의 긴축 통화정책으로 금리를 올리면 시중의 유동성이 줄어들고 시장 전반에 투자가 위축되는 결과가 나타난다. 이렇게 되면 바로 일반 가계와 기업에 빌린 부채 상환에 대한 부담이 증가한다. 이는 소비나 투자를 줄이게 되고 결국 경기를 위축시킬 수 있다. 기업의 투자 감소와 소비가 위축은 노동시장에서 실업률 증가로 이어지고 가계 소득 역시 낮아진다. 이는 결과적으로 경기 침체의 악순환으로 이어지게 된다. 결국, 중앙은행의 통화정책은 물가 상승을 억제하는 순기능도 있지만 물가 상승을 억제하지 못할 경우, 자칫 경기 침체와 물가 상승이 동시에 나타나는 스태그플레이션이라는 역기능도 나타날 수 있다. 중앙은행의 통화정책은 마치 양날의 검과 같다. 독립된 중앙은행은 경기 침체를 피하면서 물가 안정화를 꾀하는 섬세하고 적절한 통화정책이 필요하다.

(965자)

7. 2022학년도 성신여대 수시 논술 (1교시)

[문제 1] 코로나19와 같은 전 지구적 문제를 해결하기 위한 방안으로 <가>에 제시된 방식을 설명하고, <나>에 제시된 사례들을 참고하여 <가> 방식의 문제점을 서술하시오. 그리고 이상의 내용을 바탕으로 코로나19 위기 대처 방안을 제시하시오. (900±100자)

[문제 2] <다>와 <라>의 관점이 <마>가 설명하고 있는 탄소중립을 위한 기후협약 이행에 어떠한 영향을 미칠 수 있는지 서술하시오. 그리고 <다>와 <라>의 관점을 종합하여 <마>에 제시된 문제 상황에 대한 해결방안을 제시하시오. (900±39
100자)

[문제 1]

시장경제는 경쟁을 자원 배분의 기본질서로 한다. 사회주의보다 시장경제가 생산력 발전에서 효율적인 것은 경쟁을 통해 능력발휘를 극대화할 수 있기 때문이다. <가>의 설명처럼 백신 개발과 생산은 선진국의 막대한 자본 투자와 경쟁력 있는 제약기업의 기술로 가능하게 되었으며, 이를 통해 우리는 코로나19에서 다시 일상으로 복귀할 수 있을 것이라는 기대를 하고 있다. 백신 개발에 주도적인 역할을 담당한 기업과 국가 이미지는 높아지게 되었고, 이윤 창출의 기회는 더 증가했다. 이렇듯 경쟁은 이윤 창출, 국제 세계에서 우위 확보, 물품 선점유, 보상 등 목표 달성이라는 뚜렷한 명제를 전제로 매우 효율적인 원리임은 틀림없다. 그러나 <나>에서 지적된 바와 같이 이익 추구를 우선으로 한 국가 간 무분별한 경쟁은 휴머니즘을 토대로 한 사회적 연대를 간과할 수 있다. 자국과 기업의 이익을 최우선으로 하는 경쟁적인 접근방식만을 고수하면 국가 간 불평등과 후진국의 소외가 발생할 수밖에 없고, 이는 코로나 19와 같은 지구적 전투상황에서 백신을 매개로 한 반인도적 비즈니스라 할 수 있다.

코로나19 문제 상황을 해결하기 위해서는 '황금의 중도'를 설정하여 공정한 경쟁이 가능하도록 규범을 마련하는 것이 필요하다. <가>에 제시된 경쟁을 통한 효율적 성과를 추구하면서 다른 한편으로 <나>에서 언급된 협력의 틀을 유지함으로써 비인도적 태도를 지양하는 것이 필요하다. 코로나19와 같은 전 지구적인 문제 해결에 기여한 국가에게 감세 혜택, 국제 사회의 주요한 의사 결정 시 참여 우선권을 부여하는 등 보상하는 제도를 마련함으로써 당장의 이익 추구를 위한 선진국 독점과 횡포를 제어해야 한다. 세계 협력체제에서 취득한 이익은 환수하여, 후진국과 취약한 지역의 개발을 지원하고 불평등 감소의 전략으로 활용해야 한다. 공정한 경쟁을 통한 진보와 휴머니즘을 기저로 모두가 참여 공생하는 거버넌스의 실천이 필요하다.

[문제 2]

지속가능한 인류생존권의 보전을 위해 전 세계가 한배에 타고 기후변화라는 풍랑에 맞서고 있다. 교토의정서의 한계 때문에 파리협약을 채택하였으나, <마>의 그래프가 보여주듯이 탄소 배출량의 감소에 대한 실행은 여전히 저조하다. 협력의 결과가 뚜렷한 이익의 취득으로 이루어지지 않는 한 각국은 여전히 비용과 편익의 전망에 따라 협력적 구조에서 비껴나 관망하는 태도를 취할 것이다.

<다>의 설명처럼 경쟁은 선택과 진화의 원동력이다. 만약 탄소배출 감소에 대한 경제적 보상과 이윤의 창출이 주어진다면 참여와 노력을 극대화 할 수 있을 것이다. 경쟁의 과정에서 기후변화에 대처하는 능력이 고양되어, 의식적인 사회적 통제 없이도 스스로의 의지와 노력에 의해서 효과적 목표 달성을 이룰 것이다. <라>의 관점과 같이 공동의 목표로 협력적 구조를 통해 전 지구적 문제 해결을 도모한다면, <다>의 상황과 비교하면 참여와 노력의 의지는 소극적일 것이다. 협력의 전략을 효율적으로 구사하기 위해서는 국가 간의 상호작용에 있어서 자국의 이익에 연연하지 않고 협력의 틀에서 절대 벗어나지 않아야 한다. 규약위반이나 중도 이탈에 대해서 확실한 보복의 태도를 행사함으로써 협력만이 나은 선택임을 인지시킬 수 있는 제도도 필요하다. 단순하고 명확한 원칙의 제시와 일관성 있는 규범을 통해 지속적인 협조를 끌어내야 한다.

  기후변화라는 난제를 해결하기 위해서는 무엇보다 탄소중립의 중요성을 꾸준히 교육하고, 대응 훈련을 강화하여 공동의 노력에 대한 필요성이 인식되어야 한다. 뚜렷한 원칙과 규범을 제시하여 불이행에 대한 벌점과 처벌을 운영하는 등 강제적 수단을 발동함이 필요하다. 협력에 소극적이거나 정해진 이행 목표를 수행하지 못할 경우, '탄소세'의 부가와 국제 사회의사 결정에 참여하지 못하게 하는 등 단호한 대가를 부여해야 한다. 참여 경쟁에서 우위를 차지하고 성과에 이바지한 국가에 경쟁의 원리가 지닌 보상 방식을 응용하면 보다 적극적 참여와 노력을 끌어낼 수 있을 것이다.

8. 2022학년도 성신여대 수시 논술 (2교시)

[문제 1]

제시문 <가>에 나타난 알고리즘 판단에 대한 두 가지 입장을 ㉠과 ㉡을 중심으로 설명하고, 제시문 <나>에 언급된 플랫폼 기업에 대한 정부 차원 규제의 정도와 타당성에 대해서 아래 (A)와 (B) 중 하나의 관점을 선택하여 자신의 생각을 논하시오. (900±100자)

> (A) 경쟁은 알려진 방법 중 가장 효율적일 뿐만 아니라 권력의 강제적이고 자의적인 간섭 없이도 우리의 행위가 조정될 수 있는 유일한 방법이기 때문에 우월한 방법이라고 할 수 있다. 경쟁은 의식적인 사회적 통제를 필요로 하지 않는다. 어떤 일이 그 일과 연관된 불리한 점과 위험 요소를 상쇄하고도 남을 만큼 전망이 있는지 아닌지를 결정하는 것은 각자에게 달려 있다. 경제적 자유는 국가 권력을 억제하는 기능을 행사하고 이로써 정치적 자유와 정신적 자유를 보호하는 역할을 한다.
>
> -하이에크, 『노예의 길』

> (B) 천부적으로 보다 유리한 처지에 있는 자는 아주 불리한 처지에 있는 자의 여건을 향상하여 준다는 조건하에서만 그들의 행운에 따른 이익을 누릴 수 있다. 최대 수혜자 갑은 최소 수혜자 을과 도덕적 비대칭성의 관계에 있다. 재능, 지위와 같은 도덕적으로 임의적인 요소들의 작용으로 최대 수혜자가 된 갑은 최소 수혜자인 을의 삶을 개선하기 위한 일정한 희생을 감내해야 한다. 민주주의적 평등은 '공정한 기회 균등의 원칙'과 '차등의 원칙'의 결합에 의해 이루어진다. 이 원칙은 사회 기본 구조의 사회적·경제적 불평등을 판정할 특정한 입장을 선정하려는 것이다.
>
> -롤스, 『정의론』

[문제 2]
제시문 <다>의 내용을 요약하고, 그 내용을 토대로 사례 (A)에서 언급된 승차 공유 서비스 중개업체와 사례 (B)에서 언급된 승차 공유 서비스 종사자의 공유경제의 현실에 대한 상반되는 인식을 논하시오. (900±100자)

(A) 승차 공유 서비스 중개업체인 우버(Uber) 웹사이트에서 '드라이버로 가입하기' 버튼을 클릭하면 "드라이버 파트너용 사이트(https://partners.uber.com/drive)"로 연결된다. 이 사이트에서는 "우버는 바로 당신과 같은 파트너가 필요합니다. 우버의 기사가 되어 독립계약자로 수입을 올리세요. 승객을 태우고 시내 곳곳을 누비며 일주일 단위로 보수를 받으세요. 원하는 시간에만 운전하면서 돈을 버는 사장님이 되세요."와 같은 내용으로 이익 잠재력을 강조한다. 기사를 모집하기 위한 옥외 광고판에서는 신규 기사에게 보장되는 주간 수입(weekly income)을 강조하고 "정해진 근무시간도, 상사도, 제약도 없이" 일할 수 있다면서, 밝은 미래를 희망한다면 "우리를 헤드 라이트라고 생각하세요"라고 홍보한다.

(B) 28세 바란은 대학에 다니면서 주 4일을 우버(Uber) 기사로 일하고 있다. 뉴욕에서 앱 기반 기사로 일하려면 택시 기사와 동일한 보험과 면허가 요구되기 때문에 보통 수천 달러의 초기 비용이 들고, 그 밖에도 연간 지출이 적지 않다. 바란은 그런 부담을 지지 않으려고 주당 400달러에 우버가 인증하고 보험에 가입된 면허 차량을 렌트해서 몰고 있다. "일주일에 최소 사흘은 일해야 차량 유지비를 댈 수 있어요. 이틀은 렌트비를 벌고 하루는 유류비 같은 부대비용을 버는 거죠. 그 후에 버는 돈은 다 기사의 몫입니다." 아침 8시부터 밤 8시까지 꼬박 12시간을 일하는 바란은 하루 250달러를 버는 게 목표다. 이 250달러는 우버 수수료와 통행료를 제하지 않은 금액이다. 그의 주간 수입 내역을 보니 800달러를 넘기지 못한 주가 대부분이었다. "난 파트너(partner)가 아니에요. 독립계약자죠. '파트너'는 뭔가를 공유한다는 뜻이잖아요. 그런데 난 모든 비용을 내가 다 감당하거든요. 저쪽에서 나를 자르려면 언제든 자를 수 있어요. 내가 파트너였다면 안 될 말이죠." 공유경제는 탄력성을 보장하고 일과 생활의 균형을 맞춰주겠다고 한다. 하지만 바란은 주 4일밖에 일하지 않는다고 해도 하루 12시간씩 일한다. 긱 경제(gig economy)는 탄력성을 말하지만, 직장에 매이지는 않아도 일에는 점점 더 강하게 매이고 있다. 품을 팔아 돈을 벌려면 항시 대기 중이어야 하기 때문이다.

[문제 1]

● 예시 답안 1

제시문 (가)에는 알고리즘 판단에 대한 상반된 두 가지 입장이 나타나고 있다. 첫째, 알고리즘 판단을 신뢰하고 적극적으로 활용해야 한다는 입장이다. 알고리즘은 다양한 요소를 고려하는 동시에 보편적 합리성을 지향하므로 소수의 단서에 근거하여 결론을 내리는 인간의 직관적 판단의 한계를 보완해줄 수 있다. 즉, 인간의 직관적 판단은 감정에 의해 편향적 판단을 내릴 수 있는데, 알고리즘은 감정을 배제하고 객관적 데이터를 기반으로 판단을 내리기 때문에 직관적 판단에 따른 오류를 줄일 수 있다는 것이다. 둘째, 알고리즘 판단이 오히려 인간의 편향성을 강화할 수 있기 때문에 그것에 의존하는 것은 위험하다는 입장이다. 알고리즘의 기반이 되는 빅데이터에는 인간의 편향성이 그대로 담겨있기 때문에 그것을 기반으로 학습하는 알고리즘 역시 편향성을 가질 수밖에 없다는 것이다. 이는 장기적으로 개인의 주관과 인식을 왜곡시킬 수 있으며, 사고의 다양성을 훼손하는 결과를 초래할 수 있다는 것이다.

제시문 (나)에서는 플랫폼 기업과 관련한 공정경쟁 이슈가 나타나 있다. 플랫폼 기업의 규모가 커지면서 시장에서의 공정한 경쟁을 해칠 수 있다는 우려가 제기되기 때문에 정부의 규제를 강화해야 한다는 입장과 이용자의 편익을 고려하여 기업 활동이 위축되지 않도록 정부의 규제는 제한되어야 한다는 입장이 맞서고 있다. 물론 대기업과 중소기업 및 영세 사업자 간의 공정한 경쟁을 해치는 불공정 거래나 담합에 따른 시장 질서 훼손을 해소하기 위한 최소한의 규제는 필요하다. 그러나 하이에크가 언급한 바와 같이, 경쟁은 사회 발전을 위한 가장 효율적인 방법이다. 또한, 사회의 구성원들이 경제적 자유를 확보함으로써 국가 권력을 견제하여 국가 권력의 남용을 방지함으로써 정치적 자유와 정신적 자유를 보호하는 역할을 할 수 있다. 따라서 4차 산업혁명으로 막 진입하기 시작한 현 시점에서는 정부가 지나친 규제를 통해 기업 활동을 위축시키기보다는 기업의 활동을 지원해줌으로써 기업이 활발한 투자를 통해 혁신적인 기술을 개발할 수 있도록 해야 한다. 이는 궁극적으로 일자리를 창출하고 우리 사회를 발전시킬 수 있는 방도가 될 것이다.

● 예시 답안 2
제시문 (가)에는 알고리즘 판단에 대한 상반된 두 가지 입장이 나타나고 있다. 첫째, 알고리즘 판단을 신뢰하고 적극적으로 활용해야 한다는 입장이다. 알고리즘은 다양한 요소를 고려하는 동시에 보편적 합리성을 지향하므로 소수의 단서에 근거하여 결론을 내리는 인간의 직관적 판단의 한계를 보완해줄 수 있다. 즉, 인간의 직관적 판단은 감정에 의해 편향적 판단을 내릴 수 있는데, 알고리즘은 감정을 배재하고 객관적 데이터를 기반으로 판단을 내리기 때문에 직관적 판단에 따른 오류를 줄일 수 있다는 것이다. 둘째, 알고리즘 판단이 오히려 인간의 편향성을 강화할 수 있기 때문에 그것에 의존하는 것은 위험하다는 입장이다. 알고리즘의 기반이 되는 빅데이터에는 인간의 편향성이 그대로 담겨있기 때문에 그것을 기반으로 학습하는 알고리즘 역시 편향성을 가질 수밖에 없다는 것이다. 이는 장기적으로 개인의 주관과 인식을 왜곡시킬 수 있으며, 사고의 다양성을 훼손하는 결과를 초래할 수 있다는 것이다.

플랫폼 기업의 경우 AI 기반 알고리즘 기술의 활용 측면에 있어, 자원의 집중화와 알고리즘 담합을 통한 공정경쟁 이슈가 부각 되고 있다. 특히 자원이 집중화되고 대형화된 플랫폼 기업의 경우, 사업확장 및 이익 극대화를 위해 알고리즘 기술을 편향되게 활용할 가능성이 크다. 더불어 규제를 최소화하고 시장의 논리에만 맡겨 놓는다면 대형화된 플랫폼 기업이 혁신적인 기술을 보유한 신생 플랫폼 기업의 시장진입을 저해하고, 결국에는 불공정경쟁을 하는 플랫폼 기업만 시장에서 살아남는 부정적인 결과로 이어질 가능성이 있다.

또한 제시문〈나〉에서 언급한 것처럼, 인공지능 담합을 효과적으로 규제하지 못한다면, 이는 결국 소비자의 합리적 선택에 부정적인 영향을 미칠 것이다. 즉 플랫폼 산업의 성장을 위해서도 공정한 경쟁을 유도하기 위한 규제강화는 필수적으로 시행되어야 할 것으로 판단된다. 따라서 대형화된 플랫폼 기업에 대한 정부의 규제 강화정책은 롤스의 정의론에 언급된 공정한 기회 균등의 원칙을 기반으로 타당하다고 판단된다.

(※ 플랫폼 기업의 혁신 활동을 보다 지지한다면 하이에크(노예의 길)의 관점이 정부 차원 규제 완화의 논거로 활용될 수 있다. 반면 플랫폼 기업에 대해서 최근 들어 발생하고 있는 공정경쟁 이슈를 우려한다면 롤스(정의론)의 관점을 기반으로, 정부 차원 규제강화의 타당성을 뒷받침하도록 논할 수 있다.)

[문제 2]

제시문 <다>의 전반부에는 언어가 인간의 사고를 지배한다고 제시되어 있다. 기본적인 의사소통 수단인 언어에는 언어를 사용하는 사람의 생각과 가치관이 반영된다. 언어가 사용되는 맥락에 따라 내용이나 표현 방법, 자료 등에 강조되거나 축소 혹은 생략되는 부분이 있을 수도 있고, 심지어 왜곡되는 부분 등이 있을 수도 있다. 제시문 <다>는 조지 오웰의 소설인 <1984>에서 소개된 더블스피크를 소개한다. 더블스피크는 단어들이 원래 가지고 있는 부정적인 의미는 숨기고 왜곡된 의미를 전달하는 기능을 가진다. 더블스피크는 소설뿐만 아니라, 정치 및 경제 분야 등 현실 세계에서도 사용되고 있으며, 이러한 언어가 가지는 힘을 통해 우리가 왜곡된 현실을 받아들일 수 있다. 제시문 <다>의 후반부는 최근 새롭게 부상하고 있는 플랫폼 기반의 기업이 새로운 용어를 만들어 내어 사용하고 있다는 점을 제시하고 있는데, 특히 노동 혹은 노동자와 같은 용어를 전혀 사용하지 않고 대신 '과업' 혹은 '독립계약자'와 같은 용어들을 사용하고 있다. 특정 용어의 사용을 회피함으로써 근로기준법과 같은 노동자 보호를 위해 기업이 준수해야 하는 규제를 회피하기 위한 의도가 있는 것은 아닌지 의심이 든다.

실제 사례 (A)와 (B)를 비교해 봄으로써 언어가 현실을 왜곡시킬 수 있다는 점을 관찰할 수 있다. 승차공유서비스를 제공하는 우버와 독립계약자로 계약을 맺은 바란과 같은 노동자들은 기존의 택시 회사에서 일하는 택시운전사와는 달리 회사의 보호를 받을 수 없다. 최저임금보장, 실업 급여 등과 같이 노동자의 최소한의 권리를 보장하는 근로기준법의 보호는 받지 못한 채, 독립계약자 혹은 소위 개인사업자로서 일에 얽매어야 하는 상황을 보여주고 있다. 물론 우버가 광고한 것과 같이 자유로운 경제활동을 하면서 경제적인 자유를 누릴 수 있는 수입을 얻을 수 있으면 좋겠지만, 바란의 예에서 보여주듯이 주당 평균 48시간 정도의 일을 해도 렌트비와 유류비 등 제반 비용을 제한 순수 수입은 최저임금에도 미치지 못하는 현실을 보여주고 있다.

이와 같은 사례를 통해서, 공유업체들은 화려하고 수사적인 언어 사용을 통해 전달되는 현실을 왜곡하기보다는 바란과 같이 그 공유업체를 위해 일하는 노동자들을 진정한 파트너로서 존중하고 최소한의 보호장치를 마련할 필요가 있어야 할 것이다.

9. 2022학년도 성신여대 모의 논술

[문제 1]
제시문 〈가〉의 관점에서 제시문 〈나〉와 〈다〉의 사례가 정의(justice)에 부합하는지 각각 근거를 들어 논술하시오. (800~1,000자)

[문제 2]
제시문 〈라〉에 제시된 '비례 원리'와 '보편 원리'의 차이점을 기술하고, 두 원리 중 하나의 원리를 자신의 관점으로 채택하여 아래의 두 제도에 대한 자신의 견해를 논술하시오. (800~1,000자)

> - 1970년대 유럽에서 처음 등장한 여성할당제는 주로 정치 분야에서 시작되었으며, 2000년대 들어서 기업 등으로 확대되기 시작하였다. 2003년 노르웨이는 기업의 여성 임원 비율을 최소 40%로 의무화하는 여성임원할당제를 도입하였고, 2004년 핀란드는 국영기업의 여성 임원 비율을 40%로 할당하는 법안을 도입하였다.
> - 공무원 시험 할당제 중 지방인재채용목표제는 국가공무원 공개경쟁채용시험에서 서울특별시를 제외한 지방에 있는 학교의 재학생이나 졸업생이 선발예정인원의 20% 이상 합격할 수 있도록 선발예정인원을 초과하여 지방인재를 합격시키는 제도이다.

〈문제 1〉   *(저자 검토 학생 예시 답안)*

　제시문 〈가〉에 의하면 평등한 원초 입장에서 두 원칙이 만족할 때 사회는 공평하며 정의롭다고 하였다. 첫째는 모든 사람이 기본 권리와 의무의 할당에 평등해야 한다. 기본적인 자유도 모든 사람이 가능한 최대로 누려야 한다. 둘째는 불평등을 해결하기 위해 약자에게 보상한 이득은 사회 협동체가 나눈 복지로 제공된다는 것이다. 정의는 사회적·경제적 불평등 문제에 가장 취약한 사람들에게 우선 제공되어야 한다. 정의는 주어지는 기회까지 포함된다. 단순히 주어지는 기회의 횟수에 국한하는 것이 아니라 약자의 진출을 열어주고, 공직과 지위 등에도 적절히 조절하여 할당되어야 한다는 것이다.

　제시문 〈나〉에서는 수험생의 가정 형편과 시험 점수가 밀접한 연관성을 띠고 있다. SAT 점수는 응시자 집안의 부와 매우 연관도가 높다. 사회경제적 환경이 SAT 점수에 영향을 준 것이다. 경쟁이 치열한 상위권 대학일수록 이 격차가 큰 것은 사회경제적 환경으로 나타나는 현상이므로 제시문 〈가〉의 두 번째 원칙을 위배해 공정하지 못하다. 그러므로 사회경제적 환경이 열악한 학생들에게 SAT 시험에서 우선 선발인원을 주거나 점수를 보정해주는 등 불합리한 경쟁에 대한 이익을 보장하여야 한다.

　제시문 〈다〉의 사회적 불평등은 정의로운 제도 도입을 통해 개선되어야 한다. 여기서는 오히려 백인에 대한 소수자 우대로 백인들이 법학전문대학원 입시에서 불리해졌다고 주장한다. 하지만 제시문 〈가〉에 의하면 일반적인 사회적·경제적 상황에서 흑인이나 멕시코계의 사람들은 재산과 권력의 불평등이 있다. 그러므로 소수인종 우대정책은 공정한 절차와 취지를 지닌 제도로 최소수혜자에게 우선적인 이익이 가도록 하여 사회경제적 불평등을 줄이는 데에 기여한 제도라 할 수 있다. (860자)

<문제 2>

● 비례원리에 대한 찬성입장

　제시문 <라>는 각자가 노력에 비례하여 분배받는 것이 공정한 것으로 생각하는 비례원리와 인간이라면 누구나 동등하고 평등한 권리를 보장받는 것이 공정하다고 여기는 보편원리가 있다. 비례원리와 보편원리는 공정을 판단하는 중요한 기준이 되며 동일한 일에 대해 평가도 나뉜다. 비례원리는 가지고 있는 재능과 어쩔 수 없는 운과 같은 불균등 분포에 관대하게 정의의 개념을 나타낸다. 그래서 뿌린 대로 그 댓가를 받고자 하는 보수주의자들에 지지를 받고 있다. 하지만, 보편원리는 사회경제적 약자나 소수자들을 사회에서 보호하여야 하므로 우연적 요소는 제거해 사회경제적 불평등을 최소화할 수 있게 한다. 때문에 비례원리에서 발생할 수 있는 불평등을 해소하고 소수자 보호를 위해 진보주의자들에게 지지를 받는다.

　비례 원리에 의하면 여성할당제와 공무원할당제는 개인의 능력과 성과에 비례해 직책을 나눈 것이 아니므로 정의롭지 못한 제도이다. 즉, 각자의 노력에 의해 충실히 쌓은 결과는 개인에게 돌아가야 한다. 하지만, 남성과 여성이 공평하게 경쟁하지 못하게 원천적으로 경쟁을 차단하였다. 특히, 유럽의 정치권에서 시작된 여성할당이 기업과 국영기업까지 확대되고 있는 추세는 사회 전반에 걸쳐 성차별에 의해 나타난 불합리함이라 할 수 있다. 공무원할당제 역시 서울특별시를 제외한 지역에 20%의 할당을 해 오히려 서울특별시에서 공부한 우수한 수험생들에게 기회마저 박탈하는 결과로 이어질 수 있다. 보편원리를 통해 약자와 소수자를 보완하여야 한다. 하지만 성을 제한하는 여성할당제와 지역을 제한한 공무원할당제는 열심히 노력한 개인에게 오히려 제도로 제한을 가한 것이므로 불공정한 정의실현이라 할 수 있다. (831자)

● 보편원리에 대한 찬성입장

　제시문 <라>는 각자가 노력에 비례하여 분배받는 것이 공정한 것으로 생각하는 비례원리와 인간이라면 누구나 동등하고 평등한 권리를 보장받는 것이 공정하다고 여기는 보편원리가 있다. 비례원리와 보편원리는 공정을 판단하는 중요한 기준이 되며 동일한 일에 대해 평가도 나뉜다. 비례원리는 가지고 있는 재능과 어쩔 수 없는 운과 같은 불균등 분포에 관대하게 정의의 개념을 나타낸다. 그래서 뿌린 대로 그 댓가를 받고자 하는 보수주의자들에 지지를 받고 있다. 하지만, 보편원리는 사회경제적 약자나 소수자들을 사회에서 보호하여야 하므로 우연적 요소는 제거해 사회경제적 불평등을 최소화할 수 있게 한다. 때문에 비례원리에서 발생할 수 있는 불평등을 해소하고 소수자 보호를 위해 진보주의자들에게 지지를 받는다.

　여성할당제와 공무원할당제는 보편원리에 의한 평등한 정의 실현이다. 인간은 누구나 평등할 권리가 있다. 하지만 사회경제적 요인으로 발생한 평등을 해치는 가능성을 줄이고 불공정한 요소를 감소시키는 것이 오히려 정의로움에 더 부합한다. 지문에 나타난 유럽은 정치에서 시작하여 점차 국영기업과 기업까지 여성의 채용을 확대하였다. 흔히 유리천장이라고 불리는 성에 의한 차별을 차단하고 일정 인원을 의무적으로 채용해 여성의 능력을 발휘할 수 있게 해주었다. 공무원할당제는 서울특별시와 지방에서 발생하는 사회적 경제적 차이와 혜택에 대한 보완이라 할 수 있다. 지방 출신 지원자는 교육이나 경제적 혜택을 받지 못한 소수로 보편원리에 의해 지방인재채용목표제를 통해 공정을 확보해 줄 수 있다. 물론 각자 노력에 의해 공정하게 그 노력을 인정하는 비례원리는 인정되어야 한다. 하지만 사회적 약자나 소수자라는 이유로 능력을 발휘할 기회조차 얻지 못하는 것은 평등한 정의라 할 수 없다. (876자)

10. 2021학년도 성신여대 수시 논술 (1교시)

[문제 1]
<가> 현상을 <나>, <다>의 관점에서 평가하고, 각 평가를 비판적으로 검토한 후, <가> 문제에 대해 자신이 생각하는 바람직한 처방을 논술하시오. (900±100자)

[문제 2]
<라>와 <마>는 서로 상반된 주장을 하면서 각각 세 가지 근거를 밝히고 있다. 두 제시문 중 하나를 선택해 그 속에 포함된 주장과 세 근거를 요약하고, 그 근거 중 두 가지를 비판한 다음, 그 비판에 근거해 캘리포니아주의 다음 제도에 대해 자신의 견해를 논술하시오. (900±100자)

> 2020년 6월 25일, 캘리포니아주 대기환경청은 친환경트럭 의무 판매 제도를 도입하였다. 2024년부터는 차량 타입에 따라 5~9%, 2030년에는 30~50%, 2045년에는 100% 친환경차 판매가 의무화된다. 의무 판매 대상이 되는 트럭은 3.8 톤 이상의 중대형 상용차로 픽업트럭 등 경트럭은 해당되지 않는다.

> [문제 1]
>   <가>는 인류세라는 새 지질층을 낳을 정도로 인간의 지구시스템 교란 능력이 강대해졌고 그런 교란의 결과 통제하기 어려운 대규모 산불, 홍수 등이 세계 도처에서 발생하는 상황을 보여준다. 인류세의 이러한 징조들에 대해 <나>는 지구는 여전히 인간의 지식과 기술로 통제될 수 있는 시스템이며 그 위험의 양상이 복잡하고, 범위가 전지구적이더라도 인간의 독창성과 기술 능력으로 충분히 극복할 수 있다고 본다. 호주나 미국의 대규모 산불이나 중국의 폭우 역시 예방하거나 저지하는 창의적 방책이나 기술이 개발될 것이며 최악의 경우에도 국지적 재난에 그칠 것이라고 낙관적으로 본다. 반면 <다>는 인류세란 인간의 기술이 무력해질 수밖에 없는 지구로 지구시스템의 근본 패러다임이 바뀌었음을 뜻한다고 본다. 코로나19에도 여전한 이상 기후는 인류를 '죽음의 소용돌이'로 몰아넣고 인간을 '으스러뜨리는' 자연의 복수가 시작되는 징조라는 것이다.
>   <나>의 인식은 전지구적 환경 위기를 산업화 이후 진행된 생태계 오염 및 파괴의 연장선상에서만 바라보며 지금까지의 기술적 성취가 앞으로도 유효하리라 과신한다는 점에서 지나치게 낙관적이다. 미세먼지처럼 과학기술로 해결되기 어려운 경우들을 간과하기 때문이다. 반면 <다>의 인식은 위험을 과장하고 자연의 회복력에 지나친 우려를 표하면서 기술의 파괴적 잠재력은 과대평가하는 한편, 그 기술의 적절한 활용 가능성은 과소평가한다는 문

제가 있다. 빙설이 녹자 이를 이용할 수력발전을 도입한 네팔처럼 기후 변화에 대응하는 기술의 새로운 활용은 늘 열려 있기 때문이다.

 나는 통제 가능한 위험에는 기술 혁신을, 불가능한 위험에는 원인 억제의 노력을 병행함으로써 기술의 활용과 절제라는 상반된 전략을 양립시킬 수 있다고 생각한다. 자연뿐만 아니라 인간 신체까지 전 영역에서 기술 혁신이 일어나도록 창의적 환경을 조성하면서도, 돌이킬 수 없는 결과를 초래할 위험이 있는 삶의 방식과 기술에 대해서는 경각심을 높이고 불편을 감수하는 것, 이는 어렵지만 할 수 있는 일이다.(997자)

[문제 2]
 <마>를 선택해 요약, 비판하는 경우
 <마>는 아직 태어나지 않은 미래세대의 존속과 행복에 대해 현세대에 책임을 물어서는 안 된다고 주장하며 그 근거로 (1) 설령 현세대가 과도하게 자원을 사용했더라도 그런 남용덕분에 피해를 입는 그 세대가 탄생하고 삶을 향유할 수 있었기 때문에 책임을 묻는 것이 무의미하며, (2)미래세대에 대한 책임을 강조하다 보면 현재의 부조리, 불평등에 관대하게 되고, 결국 모든 책임을 가장 열악한 계층이 떠안는 결과로 이어지며, (3)우리 도덕 능력의 한계 때문에 효과가 불투명한 먼 미래의 의무 부담은 현재 당장 혜택을 주는 올바른 행동들을 놓치게 하는 결과를 낳는다는 점을 들고 있다.

 하지만 근거 (1), (2)에 대해서는 다음 비판이 가능하다. (1)미래세대가 누리는 삶 자체가 현재 세대 결정의 결과이므로 그 결정이 설령 무책임해 보이더라도 비난할 수 없다는 논리는 매우 위험하다. 이 논리에 따르면 자식을 학대하는 부모도 그 자식을 존재하게 했다는 이유로 비난할 수 없을 것이기 때문이다. 특히 인류세 상황에서는 현세의 무분별한 행위가 단지 미래세대의 불편함에 그치지 않고 비참한 종말로 귀결될 가능성이 크다는 점을 잊어서는 안 된다. (2)미래세대를 배려하는 것과 현재의 부조리와 불평등 개선에 힘쓰는 것이 마치 양자택일의 문제인 것처럼 말하는 데 이는 사실이 아니다. 둘 중 하나만 가능하다는 이분법적 태도는 손쉬운 해결책만 고민하는 불성실의 산물일 뿐이다. 지속가능한 발전 등 둘을 동시에 성취할 방안을 먼저 고민해야 한다.

 미래세대에 대한 책임과 의무를 인정하는 입장에서 볼 때 친환경트럭 의무 판매제도 도입은 미래세대를 위해 사전조치를 취했다는 점에서 일단 환영할 만하다. 그렇지만 이 제도를 즉각 시행하지 않고 2024년부터 2045년에 걸쳐 서서히 확대한다는 점은 크게 아쉬운 부분이다. 더욱이 이 정도의 조치는 해당 시기의 현세대에게 가장 이익이 되는 조치 이상의 어떤 것도 아닐 가능성이 크기 때문에 더욱 빠른 속도로 의무 판매 비율을 확대할 필요가 있다고 판단된다. (996자)

(※ 마지막 단락의 경우, 친환경트럭의 환경 개선 효과와 현재 대기오염의 심각 정도에 대한 다른 판단을 근거로 다른 방향의 답안 작성도 가능함)

11. 2021학년도 성신여대 수시 논술 (2교시)

[문제 1]

제시문 <가>에서 EU의 '그린 뉴딜(Green New Deal)' 정책의 주요 특징을 찾아 기술하고, EU의 정책과 제시문 <나>의 정보를 활용하여 한국 정부의 그린 뉴딜 정책이 갖는 주요 특징을 기술하시오. 그리고 이상의 내용을 바탕으로 제시문 <가>에 소개된 한국 정부의 그린 뉴딜 정책에 대해 찬성 또는 반대의 입장에서 논하시오. (900±100자)

[문제 2]

제시문 <다>의 두 가지 관점 중 하나를 선택하여 제시문 <라>에 기술된 미국의 사례에 대한 원인을 진단하고, 다른 하나의 관점에서 기후변화 문제를 해결하기 위한 국제 사회의 대처 방안을 논하시오. (900±100자)

[문제 1]

제시문 <가>에 기술된 EU의 그린 뉴딜 정책은 기후 변화에 대한 국가 간의 공조 필요성과 더불어 친환경 정책을 통한 일자리 창출 및 경제 성장의 모델로 삼는다는 특징을 가지고 있다. 이 정책은 기후 변화를 위해서 EU의 회원국들은 유럽의 탄소 배출을 최소화하겠다는 목표를 세움과 동시에 EU와의 교역 국가들도 탄소 사용량을 규제하도록 유도하기 위해 탄소 국경세를 도입하였다는 점에서 기후 변화에 대한 대응을 일부 국가만이 아니라 각국의 공조를 유도하였다는 특징을 가지고 있다. 이와 더불어 친환경 전력 생산을 위해 고비용의 투자를 하고 있는 EU 내의 기업들이 국제 교역 사회에서 경쟁력을 가질 수 있도록 탄소 국경세를 도입하여 해당 기업들을 보호하고 친환경 경제 성장과 일자리 창출을 도모한다는 특징을 보이고 있다.

수출 중심의 경제 구조를 가진 우리나라도 EU를 주요 교역 대상으로 삼고 있다는 점에서 탄소 배출을 최대한 줄여서 탄소 국경세를 최소화하면서 기업 경쟁력을 유지시키기 위해 국가적인 정책으로 그린 뉴딜 정책을 발표하였다. 한국판 그린 뉴딜 정책이 가지는 특징은 EU와 같이 탄소 배출을 줄이기 위해 전체 전력 생산량에서 대안적인 재생 에너지와 친환경이라고 여겨지는 액화천연가스(LNG)가 차지하는 비중을 높이는 동시에, EU의 정책에서 찾아볼 수 없는 탈원전 정책이 포함되어 있다는 점이다.

이와 관련하여 제시문 <나>의 자료는 세계의 전력생산량이 지속적으로 증가해 왔고, 앞으로도 증가할 것임을 보여준다. 필요한 전력량을 감당하면서 탄소를 배출하지 않기 위해서는 원자력과 재생 에너지를 겸비해서 사용해야 하는 것으로 [그림 1]에 제시되어 있다. 탈원전 정책까지 고려하면 태양광과 풍력과 같은 재생에너지들의 전력 생산량이 EU 회원국보다 더 많아야 될 것으로 판단된다. 그러나 전체 전력 수요의 비중에서 현재 대비 액화천연가스(LNG)를 17%, 신재생 에너지를 15% 증가시키고 원전의 비중을 12%로 감소시키면, 결국 화석 연료인 액화천연가스는 탄소배출이 적어 친환경에너지라고 하더라도, 친환경이 아닌 탄소를 배출하는 전력은 현재 대비 약 20% 정도만 감축되는 것으로 판단된다. 그렇다면 EU에 상당한 탄소 국경세를 내게 되는 상황에 처하게 되어 한국 기업들의 EU

내의 기업과의 경쟁력에서 뒤처지게 되지 않을까 우려된다.

(※ 액화천연가스(LNG)를 화석연료로 봐서 탄소 배출 전력을 높여 기술할 수도 있으며, 액화천연가스는 화석연료이지만 탄소 배출이 타 화석연료보다 적어 친환경 에너지로 간주하여 기술할 수도 있음. 전자의 경우 예시 답안의 작성 방향이 달라질 수 있음. 한국판 그린 뉴딜 정책을 지지하는 입장에서도 서술할 수 있음. 제시문 <나>의 지문과 그래프에 제시된 정보를 기반으로 하여 EU와 비슷한 탄소 저감 노력을 통한 그린 뉴딜 정책을 펼침으로 지구 기후 변화에 대한 국제적 공조 강화 및 이를 통한 국내 기업들의 EU와의 경쟁력을 강화할 수 있음. 비록 재생에너지의 비중이 크지는 않지만 최근 몇 년간 재생에너지가 차지하는 비중을 보면 재생에너지 기술의 고도화를 통한 필요 전력 수요를 감당할 수 있을 것임. 또한 탈원전 정책까지 한국판 그린 뉴딜 정책에 포함하여 원자력 발전이 가져올 수 있는 원전 사고를 방지할 수 있음 등의 논리를 통하는 지지하는 근거가 명확하고 논리적으로 서술되어야 함.)

[문제 2]
제시문 <라>에 나타난 미국의 파리기후변화협약 탈퇴의 원인은 제시문 <다>의 현실주의 관점에서 설명할 수 있다. 현실주의 관점에서 국가는 자국의 이익만을 추구하는 이기적 집합체로 간주된다. 때문에 국제 관계는 국가 간 힘의 논리에 의해 움직이며 도덕적 원칙은 국제 정치 행위에 적용될 수 없다. 왜냐하면 국가의 의무는 자국민과 국가의 이익을 지키는 것이기 때문이다. 제시문 <라>의 미국 역시 파리기후변화협약이 자국민들에게 불공평한 경제적 부담을 주고 있다는 이유에서 탈퇴를 결정한 것이다. 탄소배출을 규제하는 정책은 미국의 전통적 제조업을 위축시키고 결국 노동자의 일자리를 감소시키는 결과를 낳는다는 것이다. 자국 산업과 일자리 보호에 집중하는 이러한 정책은 '미국 우선주의'에 기초한다. 미국의 이러한 대외 행보는 자국에 이익을 가져다 줄 수 있기는 하나, 국제 공조를 무너뜨리고 공공의 선을 훼손하여 지구 구성원 모두의 손실을 야기할 위험성이 크다.

국제사회가 기후변화 문제에 대처하기 위해서는 다음과 같은 노력을 기울여야 한다. 첫째, 국제법이나 국제 규범 제정을 통해 국제 공조를 강화해야 한다. 기후 문제는 개별 국가만의 문제가 아니다. 때문에 몇몇 국가들의 노력만으로는 해결하기 어려운 성격을 지니고 있다. 제시문 <다>의 이상주의 관점에 따르면, 인간이 이성적 존재이듯이 국가도 이성적이고 합리적일 수 있다. 때문에 인간 사이에서 상호 협력이 가능하듯이 개별 국가 역시 상호 협력이 얼마든지 가능하다. 파리 기후변화 협약 체결 역시 그러한 노력의 결과물로 볼 수 있다. 둘째, 국제법이나 국제 규범 제정 과정에서 공정하고 투명한 제도가 마련되어야 한다. 이상주의 관점에 의하면, 국가 간 분쟁은 주로 무지나 오해, 잘못된 제도에 의해서 발생한다. 미국의 파리기후변화협약 탈퇴 역시 해당 협약이 잘못된 제도라는 미국의 인식 내지 오해에서 비롯된 측면이 있다. 따라서 국제법이나 국제 규범은 그것이 특정 국가의 이익을 대변하거나 손실을 야기한다는 오해를 불식시키고, 모든 국가의 지속가능한 이익을 보장한다는 인식을 심어줄 수 있도록 공정하고 투명하게 제정될 필요가 있다. 셋째,

국가 간 협력이 보편적 가치의 기반 위에서 이루어져야 한다. 이상주의 관점에서는 국가 간의 관계에서 도덕과 규범이 널리 통용될 수 있다. 국제 규범이 보편적 가치를 담고 있을 때 그 규범은 결속력과 당위성을 확보할 수 있으며, 미국의 사례와 같은 개별 국가의 국제 공조에서의 이탈을 방지할 수 있는 명분도 갖추게 된다. 따라서 인간의 존엄성, 평화, 공존과 같은 보편적 도덕 가치 위에서 국가 간 협력을 모색하고 실천하는 노력이 필요하다.

12. 2021학년도 성신여대 모의 논술

[문제 1]

제시문 〈가〉에 기술된 '감염병 억제를 위한 한국 정부의 사생활 제한 정책'은 제시문 〈나〉의 관점 ①과 관점 ② 각각에서 긍정적으로도 부정적으로도 평가될 수 있다. 제시문 〈나〉①, ②의 관점에서 어떻게 긍정적, 부정적 평가가 가능한지 각각 그 근거를 논리적으로 서술하고, 한국 정부의 정책에 대한 자신의 견해를 논술하시오. (800~1,000자)

[문제 2]

제시문 〈다〉에 소개된 '사생활 보호 8대 원칙'에 비추어 제시문 〈가〉에 나타난 한국 정부의 확진자 정보 수집 및 공개가 적절히 이루어졌는지를 평가하시오. 그리고 아래 일어난 세 개의 사례를 고려하여 제시문 〈다〉의 사생활 보호 원칙에 어떤 점이 보완되어야 하는지 논술하시오. (800~1,000자)

- 최근 코로나19 집단 감염 사태의 중심에 있는 한 남성이 서울의 성소수자 거리에 있는 클럽을 방문했다는 보도가 나옴에 따라, 인권 단체들은 그 남성과 접촉한 사람들의 성 정체성이 개인의 의사에 반하여 공개되는 것을 우려하고 있다.
- 코로나19 감염 확진자의 동선이 공개됨에 따라 해당 식당과 영화관은 최소 2주간 영업을 할 수 없게 되었으며, 영업이 재개된 이후에도 확진자 방문 이전과 비교할 때 매출의 60%가 감소하였다.
- 중고교생 2,000명을 대상으로 실시된 최근의 설문조사 결과에 따르면, 응답자의 대부분은 바이러스 그 자체보다 바이러스 감염 또는 전파로 인해 친구들에게 따돌림이나 망신을 당하는 것을 더 무서워한다고 한다.

〈문제 1〉   *(저자 검토 학생 예시 답안)*

제시문 〈나〉①은 의무주의적 관점이다. 국가는 국민을 지킬 의무가 있다. 국민의 건강과 생명을 해치는 코로나19에 대해 정부는 질병 확산을 억제하고 통제하여야 한다. 그런데 정부는 개인의 자유를 위해 사생활을 보호하여야 하는 의무도 있다. 결국 방역을 해야하는 의무와 개인의 사생활을 보호해야 하는 의무가 충돌하게 된다. 한국 정부는 당장 생명의 위협이 되는 질병 확산을 억제하는 것이 개인정보수집, 개인정보공개와 같은 사생활 보호보다 우선했다. 이와 같이 의무주의적 관점에서는 법률에 의한 한국 정부의 사생활 제한은 적절한 조치로 평가된다. 하지만 코로나19 확산으로 국민 사생활이 공개되었음에도 방역이 미흡했던 부분도 있고, 공개된 정보는 환자와 사업장 등에 여러 문제점도 있었다.

제시문 〈나〉②의 결과주의적 관점이다. 한국 정부가 코로나19 확산을 억제하기 위해 선택한 사생활 제한 정책은 좋은 결과로 이어졌다. 다른 나라처럼 강제적 봉쇄를 하였으면 심각한 국제 경제, 사회문제로 파급될 수 있었다. 다행히 국민의 생명과 건강을 지켰고 국가 교역을 유지해 효과적으로 대비했다. 하지만 논란의 소지도 있다. 개인의 자유는 무엇보다 중요하다. 이런 개인의 자유를 국가가 제한하였고 그 선례가 되었다. 향후 개인 자유의 제한 범위와 방법도 깊이 있게 다루고, 사생활 침해 요소를 더 줄여 성과를 유지할 정책, 사생활이 침해되더라도 더 많은 생명을 구하는 정책도 있는지 살펴보아야 한다.

결국, 국가는 국민을 위해 존재하므로 제시문 〈나〉 ②의 결과주의적 관점이 타당해 보인다. 코로나19의 팬데믹 상황은 국가 위기 상황이며 국민의 생명을 지키는 것이 최우선이어야 한다. 개인의 사생활 보호도 중요하다. 하지만 통제할 수 없이 확산되는 질병에 속수무책으로 제어할 수 없는 상황은 피해야만 한다. 그러므로 법률에 근거해 최소한의 제한으로 개인 사생활이 통제되고 코로나19로부터 국민을 보호하는 국가 정책이 적절하다.

(966자)

<문제 2>
제시문 〈가〉는 감염병 확진자 정보를 한국 정부가 공개해 코로나 19를 억제하고자 했던 정책이다. 이 정책에 대해 제시문 <다>의 원칙에 기반해 분석할 수 있다. 수집 제한의 원칙에 따르면 개인정보를 수집하는 것은 제한되어야 하며, 공정한 수단에 의해 정보의 주체로부터 알리고 동의를 구해야 하지만 동의없이 정보를 수집한 한국 정부의 정책은 비판받을 수 있다. 하지만 사용 제한의 원칙은 법률에 의해 개인정보를 사용을 허용할 수 있고, 유출할 수 없으므로 감염병 확산을 위한 정부 정책은 적절했다고 할 수 있다.

제시된 세 개의 사례는 코로나 19로 확진자가 방문한 장소의 이름과 주소, 바이러스 전파를 통해 발생한 문제점이다. 정보 정확성의 원칙에서 개인 정보는 사용 목적에 부합해야 하고, 사용 목적에 필요한 범위 내라고 정하고 있다. 환자의 동선에 나타난 장소의 이름과 주소의 공개는 꽤 심각한 영향을 주었다. 성 소수자가 있는 클럽 방문은 개인 의사에 반해 공개되었으며, 식당과 영화관도 방역에 충분한 2주간의 영업 정지 손해뿐만 아니라 이후 60%의 억울한 매출 하락으로 이어졌다. 무엇보다 중고교생들의 또래 내 따돌림이나 망신에 대한 두려움은 개인정보의 사용이 얼마나 신중하게 다루어져야 하는지 잘 보여주고 있다.

<다>를 보완하기 위해 먼저 '소수자 보호의 원칙'이 있어야 한다. 사회 약자, 소수자는 우선 보호가 필요하다. 정보의 공개로 사회적으로 심각하게 소외될 수 있다. '피해 구제의 법칙'도 필요하다. 피해는 물질적인 피해뿐만 아니라 정신적인 피해에 대한 지원도 포함된다. 식당과 영화관은 이름과 주소가 공개되어 손해가 발생하였다. 최소 2주간 영업에 대한 보상뿐만 아니라 예측하지 못한 피해가 발생했을 때에도 제도적으로 지원을 하여야 한다. 무엇보다 학생들은 바이러스 감염과 전파로 따돌림이나 망신을 두려워한다. 정보 공개로 발생할 수도 있는 심각한 정신적 피해가 발생할 수 있으므로 심리적 지원과 치료도 반드시 병행되어야 한다.

(984자)

13. 2020학년도 성신여대 수시 논술

[문제 1] 뉴미디어의 특징을 제시문 <가>에서 찾아 설명하고, 제시문 <나>의 사례를 참고하여 뉴미디어의 문제점을 쓰시오. 그리고 제시문<나>를 바탕으로 뉴미디어를 사용하는 개인의 바람직한 자세에 대해 서술하시오. (900±100자)

[문제 2] 제시문<다>의 1과 2의 관점에서 뉴미디어에 관한 제시문<라>의 주장을 어떻게 볼 것인지 각각 서술하시오. 그리고 제시문 <다>의 두 관점 중 하나를 택한 후, <보기>의 사례를 규제대상인지 아닌지 분류하고 각각의 이유를 쓰시오. (900±100자)

[문제 1]

제시문 <가>는 아랍의 민주화 운동을 사례로 하여 전통적인 미디어와 다른 뉴미디어의 특징을 제시했다. 당시 전통적인 미디어는 통제를 받아 제 역할을 하지 못하였으나, 뉴미디어인 SNS에서는 벤 알리 정권에 대한 반대 여론이 신속하게 조성될 수 있었다. 또한 SNS를 통해 튀니지 정권을 비판하는 사이버 공동체가 국가, 민족, 계급, 종교의 경계를 초월하여 형성되었다. 높은 정보 접근성과 신속한 정보 전달력을 통해 구성원 사이에서 정권에 반대하는 집회가 제안되었고 이에 대한 행동강령을 순식간에 주고 받으며 콘텐츠 생산자와 수용자 간의 긴밀한 상호작용이 가능함을 보여주었다. 결국 부아지지 사망 열흘 후 벤 알리를 대통령직에서 물러나게 함으로써 SNS 사용자들이 튀니지 민주화에 기여했다. 하지만 뉴미디어에 이러한 순기능만 있는 게 아니다. 뉴미디어는 통제하기 어렵다는 속성 때문에 제시문 <나>에서 볼 수 있듯이 로힝야족 난민이 식인풍습을 가지고 있다거나 테러리스트라는 가짜뉴스가 순식간에 퍼졌고, 이는 로힝야족 난민을 겨냥한 폭력사건을 초래했다. 또한 현대인의 선정적이고 자극적인 내용에 대한 호기심을 자극하여 부적절한 게시물을 양산하고 사회적 약자에 대한 편견을 강화시켰다. 로힝야족 난민을 비롯한 미얀마 사람들에게 뉴미디어는 비교적 최근에 보급되었기 때문에, 그들은 뉴미디어를 통해 확산되는 가짜뉴스와 유언비어에 적절하게 대처할 수 없었다. 그러므로 뉴미디어 사용자는 주어진 정보를 주체적이고 비판적으로 검토하고, 다양한 매체를 통해 정보를 종합적으로 비교·검토한 후 수용할 필요가 있다. 아울러, 잘못된 정보에 대해 수정을 요구할 수 있어야 하고, 다른 사람의 사생활과 인권을 존중해 주는 윤리의식을 키워야 할 것이다.

[문제 2]

제시문 <다>의 ①과 ②는 각각 자유주의와 공동체주의를 설명하고 있다. 개인의 자유와 선택을 중요하게 여기는 자유주의는 제시문 <라>의 주장을 지지한다. 즉, 타인이나 사회에 직접적인 피해를 입히지 않는 한 개인의 사상 및 표현의 자유는 최대한 보장되어야 하며, 이를 규제할 명분이나 이유는 없다. 표현의 자유와 다양성 허용은 <라>의 주장대로 관련된 산업과 문화 전반의 성장에 긍정적으로 기여할 수 있다. 반면 공동체주의 관점에서 본다면 개인의 사상이나 표현의 자유는 공동체나 사회의 전체적인 이익, 공공선보다 우선할 수 없다. 개인의 자유와 권리는 공동체의 지배적인 가치관과 어긋나서는 안 되며, 공동체에 해를 끼칠 위험이 있는 개인의 행위는 제한되어야 한다. 따라서 공동체주의의 입장에서 볼 때 미디어로서의 공공성이나 공정성이 우선 적으로 확보되기 위해서는 적절한 규제가 불가피하다.

 자유주의의 관점에서 볼 때 가짜뉴스에 관한 (a)의 사례는 규제가 필요한 경우에 해당한다. 거짓된 정보가 생산·유포됨으로 인해 이에 노출된 대중이 그릇된 의사결정을 할 위험성이 있기 때문이다. 특히 대통령선거와 같이 사회·정치적으로 비중이 큰 사건인 경우, 초래하는 악영향이 적지 않기 때문에 이러한 가짜뉴스에는 규제를 가할 필요가 있다. 이와 달리 (b)의 경우, 생명 존중이라는 사회적 통념에는 다소 어긋날 수는 있으나, 동물을 사냥하고 그 사체 앞에서 사진을 찍은 행위 자체가 타인에게 직접적인 해를 가하는 것이라 보기 어렵기 때문에 규제의 대상이 되어서는 안 된다. 이와 마찬가지로 (c)의 경우, 방송 내용이 아동인 1인 미디어에게 해로울 수 있더라도, 아동의 의사에 반해 이를 통제하게 되면 표현의 자유를 침해하기 때문에 규제는 적절하지 않다.

(※ 규제를 지지하는 입장에서도 서술할 수 있음. <보기>에 제시된 모든 사례를 분류해야 하며, 각각의 사례는 규제에 대한 찬반 어느 쪽에도 활용될 수 있으나, 분류의 근거가 명확하고 논리적이어야 함.)